GERAINT V. JONES

Gomer

YN Y
GWAED

Nodiadau astudio
gan Menna Baines

atebol

Cydnabyddiaethau

Golygwyd gan **Bethan Clement** ac **Eirian Jones**

Map gan **Ceri Jones**

Dyluniwyd gan Stiwdio Ceri Jones, **stiwdio@ceri-talybont.com**

Argraffwyd gan **Wasg Gomer**

Ail Argraffiad 2016

Cyhoeddwyd gan Atebol Cyfyngedig, Adeiladau'r Fagwyr, Llanfihangel Genau'r Glyn, Aberystwyth, Ceredigion SY24 5AQ

www.atebol.com

ISBN: 978-1-907004-86-5

CYNNWYS

1	Lleoliadau'r nofel	4
2	Geraint Vaughan Jones	5
3	Cyd-destun y nofel	6
4	Crynodeb o'r stori	8
5	Plot ac adeiladwaith y nofel	10
6	Cip ar y cymeriadau	13
7	Dadansoddiad o'r prif gymeriadau	15
8	Prif themâu'r nofel	21
9	Iaith ac arddull	30
10	Crynodeb fesul darn	36
11	Dyfyniadau pwysig	41
12	Cwestiynau arholiad	46
13	Cwis	58
14	Atebion	61

1. Lleoliadau'r nofel

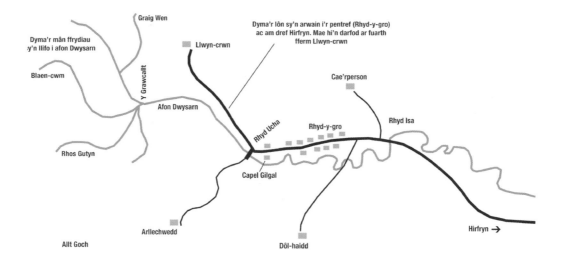

Graig Wen

Dyma'r mân ffrydiau
y'n llifo i afon Dwysarn

Dyma'r lôn sy'n arwain i'r pentref (Rhyd-y-gro)
ac am dref Hirfryn. Mae hi'n darfod ar fuarth
fferm Llwyn-crwn

Llwyn-crwn

Blaen-cwm

Cae'rperson

Y Grawcallt

Afon Dwysarn

Rhyd Ucha

Rhyd-y-gro

Rhyd Isa

Rhos Gutyn

Capel Gilgal

Arllechwedd

Hirfryn →

Allt Goch

Dôl-haidd

2. Geraint Vaughan Jones

Geraint V. Jones yn seremoni Gwobr Goffa Daniel Owen yn Eisteddfod Genedlaethol Cymru, Cwm Rhymni, 1990 (Llun gan Tegwyn Roberts trwy garedigrwydd yr Eisteddfod)

Brodor o Flaenau Ffestiniog yw Geraint V. Jones (Geraint Vaughan Jones) ac mae'n dal i fyw yno. Ar ôl treulio'r rhan fwyaf o'i yrfa yn athro Cymraeg a Saesneg yn Ysgol y Moelwyn yn y Blaenau, y mae bellach wedi ymddeol. Mae wedi ysgrifennu'n helaeth ar gyfer plant, darllenwyr yn eu harddegau ac oedolion ac mae'n un o'r prif nofelwyr Cymraeg. *Yn y Gwaed* oedd y gyntaf o'i ddeg nofel (hyd yma) ar gyfer oedolion a dyma'r gyfrol a enillodd iddo Wobr Goffa Daniel Owen yn Eisteddfod Genedlaethol Cwm Rhymni yn 1990. Aeth ymlaen i ennill y wobr honno ddwywaith yn rhagor, yn 1998 a 2000. Profodd ei hun yn feistr ar sawl math o nofel, yn enwedig y nofel antur. Ei nofel fwyaf uchelgeisiol hyd yma yw *Teulu Lòrd Bach* (2008). Mae cefndir y nofel honno'n wahanol iawn i gefndir gwledig *Yn y Gwaed* gan ei bod wedi'i lleoli ym Mlaendyffryn, tref chwarelyddol ddychmygol wedi'i seilio ar Flaenau Ffestiniog.

3. Cyd-destun y nofel

- **Gogledd-orllewin Cymru yn ail hanner yr 1980au**
- **Newid ym myd ffermio**
- **Seisnigo ardaloedd Cymraeg**
- **Llosgach – tabŵ cymdeithasol**

Nofel wedi'i gosod rywle yng nghefn gwlad gogledd Cymru tua diwedd yr 20fed ganrif yw *Yn y Gwaed*. Mae'r tirlun mynyddig a'r dafodiaith yn awgrymu lleoliad yn y gogledd-orllewin. Dychmygol yw'r holl leoedd yn y nofel – y Cwm, fferm Arllechwedd lle mae prif gymeriadau'r nofel, dyrnaid o ffermydd eraill, pentref Rhyd-y-gro a thref farchnad Hirfryn (gw. Lleoliadau'r nofel). Ardal gyfyngedig sydd dan sylw. Yn wir, mae'r ffordd y mae teulu Arllechwedd wedi'i ynysu ei hun yn fwriadol oddi wrth weddill y gymdogaeth yn dwysáu'r argraff o fyd bychan, cul ei orwelion.

Mae'n deg tybio mai rhywbryd yn ystod yr 1980au yw cyfnod y nofel – ail hanner y degawd mae'n debyg. Un o'r cliwiau mwyaf pendant i hyn yw'r cyfeiriad at y cwotâu llaeth (gw. t.50). Yn 1984 cyflwynwyd cwotâu llaeth yng ngwledydd y Gymuned Ewropeaidd er mwyn rhwystro ffermydd rhag cynhyrchu gormodedd o laeth. Bu'r cwotâu hyn yn ergyd fawr i ffermwyr llaeth Cymru ac yn y nofel mae Robin, mab Arllechwedd, yn eu melltithio; oherwydd y cwotâu mae godro wedi mynd yn fwy o drafferth na'i werth ac mae Robin yn penderfynu gwerthu'r gwartheg godro a phrynu bustych yn eu lle. Trwy hyn mae *Yn y Gwaed* yn darlunio cyfnod o newid yn y byd amaethyddol Cymreig, er bod Arllechwedd ei hun yn parhau'n fferm hen-ffasiwn.

Y tu hwnt i hynny, mae'r nofel yn portreadu newid a fu yng nghefn gwlad Cymru yn gyffredinol, yn enwedig y Seisnigo sydd wedi digwydd mewn ardaloedd Cymraeg eu hiaith. Yn ystod yr 1980au roedd y mewnlifiad o Loegr yn arbennig o amlwg. Roedd harddwch y wlad, ynghyd â phrisiau tai cymharol isel y cyfnod, yn denu nifer fawr o fewnfudwyr i ardaloedd gwledig, yn enwedig yn y gogledd-orllewin a'r de-orllewin. Yn y nofel, mae sawl teulu o Saeson yn ymsefydlu yn y Cwm ac yn cymryd busnesau drosodd, yn dechrau busnesau newydd neu'n sôn am wneud hynny. Mae effaith y mewnlifiad ar iaith a diwylliant yr ardal yn cael ei awgrymu mewn sawl ffordd, ac mae'r nofel yn darlunio'r ymateb i'r Seisnigo hwn, yn enwedig ymateb Robin sy'n gwrthwynebu'r newid yn chwyrn. Mae ei weithred ef yn rhoi capel Gilgal ar dân yn atgoffa'r darllenydd am ymgyrch losgi Meibion Glyndŵr. Carfan gudd oedd hon a fu'n llosgi tai haf mewn ardaloedd gwledig yng Nghymru yn ystod yr 1980au fel protest yn erbyn Seisnigo'r ardaloedd.

Cliw arall i gyfnod y nofel yw'r cyfeiriadau at hedfan isel dros y Cwm. Rydym yn deall mai awyrennau milwrol Americanaidd yw'r awyrennau hyn, ac yn sicr roedd yna lawer o awyrennau o'r fath yn hedfan dros Gymru yn ystod yr 1980au.

Mae cefndir crefyddol y nofel yn arwyddocaol hefyd. Mae Robin a'i chwaer Mared wedi eu magu yn yr Ysgol Sul, o dan ddylanwad Dewyrth Ifan, ond mae capel Gilgal wedi hen gau a does dim crefydd yn Arllechwedd erbyn hyn. Yn wir, mae gan Robin resymau arbennig dros gasáu pobl capel. Yn fwy cyffredinol, mae'r diffyg crefydd yn Arllechwedd fel petai'n adlewyrchiad hefyd o ddirywiad y bywyd Anghydffurfiol Cymraeg yn ystod ail hanner yr 20fed ganrif.

Llosgach yw pwnc y nofel, ac mae'n bwysig cofio bod llosgach yn anghyfreithlon yng ngwledydd Prydain fel mewn nifer fawr o wledydd eraill. Mae rhyw rhwng dau berson sy'n perthyn trwy waed – er enghraifft brawd a chwaer (fel Robin a Mared) neu ewythr a nith (fel Dewyrth Ifan a Mam) – yn drosedd. Gall arwain at gyfnod o hyd at 14 mlynedd yn y carchar. Y mae llosgach hefyd yn dabŵ cymdeithasol – yn cael ei weld fel peth annaturiol ac anfoesol. Yn ychwanegol at hynny, mae llosgach yn cael ei wrthwynebu ar sail y peryglon i iechyd y boblogaeth trwy fewnfridio. Mae mam a thad sy'n perthyn i'w gilydd trwy waed yn fwy tebygol o genhedlu plentyn sydd â nam cynhwynol (cynhenid) arno. Dyma'r cefndir i themâu pwysicaf y nofel (gw. Prif themâu'r nofel: Cyfrinachedd a Gwallgofrwydd).

4. Crynodeb o'r stori

Hanes tywyll un teulu yw *Yn y Gwaed*. Y teulu hwn sy'n ffermio Arllechwedd, gan grafu bywoliaeth o'r tir anial, mynyddig. Aelodau'r teulu yw'r hen wraig y cyfeirir ati'n unig fel Mam (ni chawn wybod ei henw), ei merch, Mared, a'i mab, Robin. Mae Mared a Robin yn eu pedwardegau. Ond daw'n amlwg cyn bo hir fod yna bedwerydd aelod o'r teulu hefyd, sef cymeriad y maen nhw'n cyfeirio ato fel *Fo*. Mae *Fo* yn byw dan glo yn y llofft stabl. Ac yn wir, mae teimlad cryf yn y nofel o bresenoldeb aelod arall eto o'r teulu, sef Dewyrth Ifan. Er bod Dewyrth Ifan wedi marw ers blynyddoedd maith y mae, fel *Fo*, yn rhan ganolog o'r stori.

Mae'r nofel yn adrodd hanes y teulu dros gyfnod byr o ychydig fisoedd, ond mae'n darlunio gorffennol y teulu hefyd. Mae'r gorffennol hwnnw wedi taflu cysgod du dros deulu Arllechwedd ar hyd y blynyddoedd, ac mae'n dal i wneud hynny yn y cyfnod dan sylw.

Y gorffennol

Mae'n amlwg o'r dechrau fod gan y teulu gyfrinachau du iawn – pethau y maent am eu cuddio rhag eu cymdogion. Yn raddol caiff y gorffennol tywyll hwn ei ddatgelu, fesul awgrym ac atgof a chyhuddiad. Cawn wybod bod hanes o losgach yn y teulu a hynny'n ymestyn yn ôl dros fwy nag un genhedlaeth. Mae Mared a Robin yn gynnyrch perthynas losgachol rhwng y fam a'i hewyrth, brawd ei thad, sef Dewyrth Ifan. Daw i'r amlwg fod *Fo*, y gwallgofddyn sydd wedi'i gaethiwo fel anifail yn y llofft stabl, yn gynnyrch yr un berthynas, ac felly'n frawd hŷn i Mared a Robin. Mae Mared a Robin hefyd wedi cael perthynas rywiol gyda'i gilydd a hynny rhyw bymtheng mlynedd cyn y cyfnod a ddarlunnir yn y nofel. Fe wnaethant hwythau hefyd genhedlu plentyn – plentyn iach y tro hwn, mae'n ymddangos, ond ni chafodd fyw. Yn hytrach, bu farw yn fuan ar ôl ei eni, a'i gladdu yn y berllan. Rydym yn deall yn y man mai Robin laddodd y plentyn ar orchymyn Mam, er mwyn osgoi dwyn gwarth ar y teulu.

Y presennol

Mae teulu Arllechwedd wedi byw gyda'r cyfrinachau hyn ar hyd y blynyddoedd. Er mwyn ceisio cadw'r hanes allan o glustiau cymdogion, maent wedi dewis byw bywyd ynysig iawn – neu'n hytrach mae'r fam wedi dewis hynny drostynt. Ond mae cario baich y gorffennol wedi creu tensiynau mawr oddi mewn i'r teulu. Yn ystod y cyfnod byr sydd dan sylw yn y nofel – sef un gaeaf, o fis Tachwedd hyd fis Mawrth – daw'r tensiynau hyn i'r wyneb gan arwain at wrthdaro rhwng Mam, Robin a Mared. Wrth i bethau fynd o ddrwg i waeth, mae ffactorau allanol yn rhoi pwysau ychwanegol ar y teulu. Er enghraifft, mae newid yn natur amaethyddiaeth yn ei gwneud yn fwy a mwy anodd gwneud bywoliaeth o'r fferm. Mae pethau'n cael eu cymhlethu gan berthynas Mared gyda Sais o'r pentref a'i beichiogrwydd hi yn fuan wedyn. Mae ymateb y teulu i'r holl broblemau hyn yn arwain at ganlyniadau erchyll gan gynnwys marwolaeth Robin a Mared. Erbyn diwedd y nofel dim ond Mam a *Fo* sydd ar ôl yn Arllechwedd.

5. Plot ac adeiladwaith y nofel

- **Naratif, dyddiadur a hunllefau**
- **Teulu Arllechwedd ddoe a heddiw**
- **Tensiynau'n adeiladu at ddigwyddiadau dramatig**

Mae'r stori'n cael ei hadrodd o safbwynt dau o'r prif gymeriadau, sef Robin a Mared, a hynny trwy amrywiaeth o ddulliau. **Naratif trydydd person** yw corff y llyfr, a hynny o safbwynt y brawd a'r chwaer bob yn ail. Ond weithiau cawn ddarllen meddyliau Mared yn y person cyntaf hefyd, ar ffurf darnau o'i **dyddiadur** sydd wedi'u gosod yma ac acw drwy'r llyfr. Yn ychwanegol at hynny, mae ambell ddarn (mewn teip italig) sy'n disgrifio **hunllefau** dychrynllyd Robin. Er bod y naratif yn canolbwyntio ar ddigwyddiadau'r presennol – stori teulu Arllechwedd heddiw – mae yma lawer o sôn awgrymog am y gorffennol hefyd. Yn raddol, yn enwedig trwy ddyddiadur Mared a hunllefau Robin, mae hanes y teulu, a'u cyfrinachau tywyll, yn cael eu datgelu. Dyma nofel sy'n gweu ddoe a heddiw ynghyd yn grefftus iawn.

Mewn gwrionedd mae sawl stori yn cydredeg yn *Yn y Gwaed* ac mae mwy nag un llinyn cyswllt rhyngddynt, fel y gwelir isod.

Stori Robin a stori Mared
Stori Robin yw'r stori ganolog sy'n gyrru'r plot yn ei flaen. Robin, dan lygad barcut ei fam, sy'n ceisio sicrhau bod Arllechwedd fel fferm a busnes teuluol yn goroesi mewn cyfnod anodd. Ond mae honno'n frwydr fawr – yn erbyn ffactorau economaidd, problemau tywydd a phroblemau iechyd Robin heb sôn am broblemau dyfnach, tensiynau teuluol sy'n deillio o'r gorffennol. Ar ben popeth arall, mae Robin yn poeni am y newid ym mywyd y pentref. Mae'r Cwm yn Seisnigo'n gyflym a chynefin Robin yn dechrau troi'n lle dieithr iddo. Trwy gydol y nofel gwelwn Robin yn ceisio ymgodymu â'r cyfan yma. Mae'r pwysau arno'n cynyddu gan arwain at uchafbwynt dramatig ar y diwedd.

Ochr yn ochr â stori Robin, mae **stori Mared**, ei chwaer. Hanfod y stori hon yw perthynas Mared â Jeff, Sais sydd wedi symud i'r ardal yn ddiweddar. Yn fuan wedi iddi ddechrau'r berthynas hon mae Mared yn darganfod ei bod yn feichiog, a'i hymgais i ddelio gyda hynny sy'n cael ei ddarlunio yn chwarter olaf y nofel.

Mae gan Robin a Mared eu problemau eu hunain, felly, ac yn y nofel rydym yn symud yn ôl ac ymlaen rhwng eu dwy stori. Ond **dwy stori sy'n plethu ynghyd** ydynt. Mae'n amlwg bron o ddechrau'r nofel fod eu perthynas yn fwy na pherthynas brawd a chwaer, ac yn raddol cawn wybod eu bod wedi cael perthynas losgachol yn y gorffennol. Tua diwedd y nofel datgelir mai baban Mared a Robin yw'r plentyn sydd wedi'i gladdu yn y berllan. Cawn wybod hefyd sut y bu farw'r plentyn: Robin a'i lladdodd pan oedd newydd ei eni. Gwnaeth hynny ar orchymyn Mam i osgoi dwyn gwarth ar y teulu. Ond mae'r garreg wen yn y berllan sy'n nodi bedd y plentyn yn atgof gweladwy a phoenus i Robin a Mared o'r bennod hon yn eu hanes.

Wedi clywed bod Mared yn feichiog am yr ail dro (bymtheng mlynedd yn ddiweddarach na'r tro cyntaf iddi fod yn feichiog, gyda phlentyn Robin), mae Robin yn neidio i'r casgliad mai Jeff yw tad y babi. Mae'n llawn cenfigen tuag at y Sais a dicter tuag at Mared. Mae'r teimladau hyn, ynghyd â'i deimladau cyffredinol yn erbyn y mewnfudwyr sydd wedi newid natur yr ardal, a'r tensiwn cynyddol rhyngddo a Mam, yn sbarduno Robin i **weithredu** (gw. isod).

Stori Mam a Dewyrth Ifan a *Fo*

Nid perthynas Robin a Mared yw'r unig berthynas annaturiol yn hanes teulu Arllechwedd. Mae yna awgrymiadau trwy'r nofel am berthynas losgachol arall, gynharach, y tro hwn rhwng Mam a'r gŵr y cyfeirir ato fel Dewyrth Ifan, sef brawd tad y Fam. Yn raddol datgelir mai Dewyrth Ifan oedd tad Robin a Mared. Yn y man cawn wybod hefyd fod y gwallgofddyn canol oed sydd dan glo yn y llofft stabl, sef *Fo*, hefyd yn fab i'r Fam a Dewyrth Ifan, h.y. yn frawd hŷn i Mared a Robin. Mae Mared a Robin eu hunain yn gwybod, neu'n amau'n gryf, mai Dewyrth Ifan oedd eu tad er nad yw'r fam erioed wedi cyfaddef hynny wrthynt.

Cysgod ddoe dros y presennol

Mae'r hanes uchod am y llosgach cynharach yn y teulu yn chwarae ar feddwl Robin a Mared ac yn effeithio arnynt mewn gwahanol ffyrdd. Mae Robin yn cael hunllefau sy'n cynnwys *Fo*, ac mae Mared yn gweld ysbryd Dewyrth Ifan yn gyson. Wedi iddi feichiogi, ac wedi i Jeff wadu mai ef yw tad y plentyn, daw Mared yn argyhoeddedig mai Dewyrth Ifan yw'r tad – h.y. daw i gredu bod ysbryd Dewyrth Ifan rywsut neu'i gilydd wedi achosi iddi genhedlu ei blentyn. Yn sgil hyn, arswyd mawr Mared yw y bydd ei phlentyn yn cael ei eni'n wallgof, yn debyg i *Fo*.

Diwedd llawn digwydd

Mae 13 o'r 15 pennod sydd yn y nofel yn canolbwyntio ar **adeiladu tensiynau** – rhwng gwahanol aelodau'r teulu a rhwng Robin a rhai o'r mewnfudwyr. Gwneir hyn trwy ddisgrifio meddyliau a gofidiau, mewn hunllefau a darnau o ddyddiadur a natatif. Mae hyn yn paratoi'r llwyfan ar gyfer **digwyddiadau mawr** y ddwy bennod olaf.

Wedi tri mis o feichiogrwydd mae Mared, ym Mhennod 13, yn mentro dweud wrth Mam ei bod yn disgwyl babi. Mae'r datgeliad hwn yn cynyddu **momentwm** y nofel ac yn arwain at y gadwyn o ddigwyddiadau dramatig ar ddiwedd y nofel. Yn gyntaf, mae'r newyddion yn sbarduno Robin i losgi capel Gilgal, sydd bellach wedi'i droi'n dŷ ac yn eiddo i Sais. Yr un noson, mae ymdrech Mam i roi erthyliad cartref i Mared yn mynd o chwith, ac mae Mared yn gwaedu i farwolaeth.

Mae marwolaeth Mared yn ergyd fawr i Robin. Nid yw'n gallu dioddef meddwl am ddyfodol hebddi. Yr un pryd mae'n gorfod wynebu canlyniadau ei dorcyfraith yn llosgi capel Gilgal. Mae rhwyd yr heddlu'n cau amdano. Dihangfa Robin rhag y cyfan yw cyflawni hunanladdiad.

6. Cip ar y cymeriadau

Mam

Daeth Mam i Arllechwedd yn forwyn ifanc a hi yw mam Robin a Mared, a mam *Fo* hefyd er nad yw'n arddel y berthynas honno. Mae'r tri ohonynt yn gynnyrch ei pherthynas losgachol gyda Dewyrth Ifan, brawd ei thad. Mae ei hymdrech i warchod cyfrinachau'r teulu yn y pen draw yn arwain at ei ddinistrio.

Fo (tua 50 oed)

Dyma'r gwallgofddyn sydd wedi treulio bron hanner can mlynedd – sef ei holl fywyd hyd yma – yn y llofft stabl. Mab hynaf Mam ydyw. Penderfyniad Mam fu ei gaethwio yno a hynny rhag dwyn gwarth ar y teulu. Er ei fod ynghudd a dan glo mae'n bresenoldeb cyson a'i fodolaeth yn poeni pawb o'r teulu.

Robin (44 oed)

Robin yw ail fab Mam a brawd Mared. Ef sy'n ffermio yn Arllechwedd. Cafodd berthynas losgachol gyda Mared yn y gorffennol a llofruddiodd eu baban ar orchymyn Mam. Mae ei anniddigrwydd am broblemau teuluol a'r Seisnigo yn y Cwm yn ei arwain at dorcyfraith ac yna hunanladdiad.

Mared (43 oed)

Mared yw merch Mam a chwaer Robin. Mae'n helpu o gwmpas y tŷ a'r fferm, a hi yw'r unig un sy'n fodlon ymwneud o gwbl gyda *Fo*. Ei babi hi, cynnyrch ei pherthynas losgachol gyda Robin, sydd wedi'i gladdu yn y Berllan, ac mae ei hail feichiogrwydd, tua 15 mlynedd yn ddiweddarach, yn arwain at gatalog o ddigwyddiadau trychinebus ar ddiwedd y nofel.

Jeff

Sais sydd wedi symud i'r Cwm yn ddiweddar yw Jeff. Mae'n dod i Arllechwedd i drwsio tractor ac mae'n cael perthynas gyda Mared. Mae Robin yn credu mai Jeff sy'n gyfrifol am wneud Mared yn feichiog. Cenfigen Robin tuag at Jeff yw un o'r pethau sy'n ei sbarduno i daro ergyd yn erbyn y mewnfudwyr yn gyffredinol trwy losgi capel Gilgal.

Harri Llwyn-crwn

Harri sy'n ffermio yn Llwyn-crwn, y fferm sydd gyferbyn ag Arllechwedd yn rhan ucha'r Cwm. Bu'n gariad i Mared ar un adeg ac mae ganddynt deimladau tuag at ei gilydd o hyd. Mae'r ffaith fod Harri'n ystyried gwerthu Llwyn-crwn i'r Sais George Davison yn un arall o'r ffactorau sy'n siomi ac yn digio Robin gan ei arwain at dorcyfraith.

Dewyrth Ifan

Bu farw Dewyrth Ifan 30 mlynedd yn ôl, yn 55 oed, ond mae ei bresenoldeb yn y nofel yn gryf. Ef oedd brawd tad Mam a chafodd berthynas gyda'i nith a oedd flynyddoedd mawr yn iau nag ef. Plant Mam a Dewyrth Ifan yw *Fo*, Robin a Mared, er nad yw Mam erioed wedi cyfaddef hyn wrthynt. Mae Mared yn gweld ysbryd Dewyrth Ifan yn gyson ac ar ôl iddo ddod i'w gwely un noson daw i gredu mai ef yw tad y babi yn ei chroth. Dyna pam y mae Mared yn cytuno i gael erthyliad dan ofal Mam, sy'n arwain at ei marwolaeth.

7. Dadansoddiad o'r prif gymeriadau

Mae'r portreadau o'r prif gymeriadau yn un o'r agweddau mwyaf difyr ar **Yn y Gwaed**. Dan amgylchiadau arferol go brin y byddai'r teulu'n dal efo'i gilydd – mae'n debygol y byddai Robin a Mared, y ddau ym mlynyddoedd cynnar eu canol oed, wedi gadael cartref, wedi priodi efallai a chreu bywydau newydd iddynt eu hunain ar wahân i'w gilydd. Ond mae amgylchiadau'n golygu bod y teulu hwn wedi gorfod aros gyda'i gilydd. Maent yn gaeth, eu bywydau wedi'u clymu gan gyfrinachau dychrynllyd. Wrth ddarlunio ymateb gwahanol y tri i'r sefyllfa ofnadwy y maent ynddi, mae'r awdur wedi creu cymeriadau diddorol gan geisio treiddio i seicoleg pob un. Yn ôl un beirniad, Iolo Wyn Lewis, maent yn gymeriadau "cwbl gredadwy o edrych arnynt yng ngoleuni rhai syniadau o faes seicotherapi".[1]

MAM

Gan mai o safbwynt Robin a Mared yr adroddir stori *Yn y Gwaed*, mae portread y nofel o Mam yn seiliedig ar argraffiadau ei mab a'i merch ohoni. Nid yw'n bortread caredig. Darlunnir hi fel gwraig **annymunol** iawn. Mae'n blaen a blêr a budr i edrych arni, yn wrachaidd yr olwg yn ôl disgrifiad Robin ohoni (t.8). Mae hi hefyd yn flin a checrus.

Prin yw'r manylion am ei gorffennol ac union natur ei pherthynas gyda Dewyrth Ifan. Ni wyddom a oedd hi'n ei garu ai peidio. Ond mae'n amlwg fod ganddi barch mawr ato o hyd; mae'n edliw i Robin ei fod yn ffermwr gwael o'i gymharu gyda Dewyrth Ifan.

Mam sy'n **rheoli bywyd** yn Arllechwedd ac mae'n gwneud hynny mewn ffordd ormesol. Mae Robin a Mared bron fel caethweision iddi. Hi sy'n gwneud y penderfyniadau mawr teuluol i gyd:

- caethiwo *Fo* yn un o adeiladau'r fferm
- cael gwared o blentyn Mared a Robin (er ei fod yn hollol iach) yn syth ar ôl ei eni
- rhoi erthyliad i Mared

---

[1] Iolo Wyn Lewis, '*Yn y Gwaed* (1990) gan Geraint V. Jones: Astudiaeth o rai patrymau seicolegol yn y nofel', *Efrydiau Athronyddol*, Cyfrol LXI (1998), t.48

Mae'n rhaid celu hanes y teulu doed a ddelo – dyna athroniaeth Mam (gw. hefyd <u>Prif themâu'r nofel:</u> <u>Cyfrinachedd</u>).

Dyna pam nad oes croeso yn Arllechwedd i ymwelwyr. Gwelwn enghraifft o hyn ar ddechrau'r nofel yn ymateb haerllug Mam i ymweliad Harri Llwyn-crwn. Mae Harri'n gyn-gariad i Mared ond mae'n amlwg fod Mam wedi rhoi stop ar y berthynas rhag i Harri ddod i wybod gormod. Ar hyd y blynyddoedd mae Mam wedi ceisio ynysu Robin a Mared oddi wrth weddill pobl yr ardal, a hynny oherwydd hanes tywyll y teulu – yng ngeiriau Robin, oherwydd "Ofn, cywilydd, gwarth" (t.20).

Mae Mam yn dangos **creulondeb** mawr tuag at ei phlant. Mae ei chreulondeb tuag at *Fo*, wrth ei gadw dan glo a'i anwybyddu, yn amlwg. Mae'n greulon hefyd wrth Robin, er enghraifft yn ei yrru allan i weithio ym mhob tywydd er gwaethaf cyflwr ei iechyd. Nid yw'n dangos unrhyw gydymdeimlad ag ef yn ei wewyr meddwl – gweler ei hymateb chwyrn a diamynedd i'w hunllef ar ddechrau'r nofel. Yn wahanol i Mared, nid yw fel petai'n poeni amdano pan mae'n mynd i'r ysbyty. Ac ar ddiwedd y nofel, er mawr syndod i'r plismon sy'n torri'r newydd iddi fod Robin wedi lladd ei hun, nid yw'n dangos unrhyw sioc na galar. Yn hytrach mae'n dweud wrth y plismon mai bai Robin ei hun yw'r cyfan. Diemosiwn iawn yw ei hymateb i farwolaeth gynharach Mared hefyd.

Nid yw Mam, chwaith, yn dangos unrhyw euogrwydd nac edifeirwch ynghylch digwyddiadau du'r gorffennol. Mae'n mynnu mai er lles Mared a Robin y cafodd wared o'u plentyn. "Fe wnaed be wnaed er eich lles chi'ch dau," meddai wedi i Robin godi'r mater (t.21). Nid yw am drafod ymhellach. Nid yw hynny'n golygu nad yw'n poeni o gwbl amdanynt. Efallai mai bod yn galed a chas tuag at eraill yw ei dull o ddelio gydag atgofion a theimladau sy'n rhy boenus iddi eu hwynebu – rhyw fath o **gragen amddiffynnol**. Dyna awgrym Iolo Wyn Lewis yn ei ysgrif ar gymeriadau'r nofel. Creda ef mai atgasedd Mam tuag ati hi ei hun wedi ei ailgyfeirio yw ei chreulondeb tuag at Robin.[2]

---

[2] '*Yn y Gwaed* (1990) gan Geraint V. Jones: Astudiaeth o rai patrymau seicolegol yn y nofel', t.42

Mae Mam yn **graff**, yn enwedig yn y ffordd y mae'n sylwi'n syth ar unrhyw beth anarferol yn ymddygiad Robin a Mared. Mae ganddi ryw wybodaeth reddfol am bethau amaethyddol a chyfnewidiadau'r tywydd; er enghraifft mae ei phroffwydoliaeth am yr eira mawr yn gywir. Mae'n **gyfrwys** hefyd, e.e. wrth ddelio gyda'r heddlu ar ddiwedd y nofel. Ond mae hi hefyd yn **gibddall a styfnig** yn y ffordd y mae'n credu y gall gadw cyfrinachau Arllechwedd yn guddiedig am byth. Canlyniad trasig pwyslais Mam ar gadw cyfrinachau yw marwolaethau Mared a Robin ar ddiwedd y nofel.

ROBIN

Ar yr wyneb mae Robin yn ymddangos yn ddyn pwyllog, araf ei ffordd, ond mae hynny'n cuddio **cynnwrf emosiynol mawr**. Mae'n sicr yn gymeriad gwahanol iawn i'w chwaer ac nid yw hanner mor ddeallus â hi. Yn wahanol i Mared, sy'n ceisio dadansoddi pethau, tuedd Robin yw gadael i'w deimladau gorddi'n gymysglyd nes iddynt ffrwydro i'r wyneb, mewn ffrae neu weithred fyrbwyll. Mae'n styfnig ac yn bwdlyd ac yn tueddu i gadw iddo'i hun. Nid yw'n gwybod sut i ymdrin â'i broblemau emosiynol na'u mynegi.

Dyma ddisgrifiad o Robin gan Mared yn y darn cyntaf o'i dyddiadur a geir yn y nofel, drannoeth un o hunllefau ei brawd.

> Rwy'n siŵr bod Robin yn gwaethygu. Mae arnaf ofn ei lygaid yn ddiweddar. Nid wyf yn siŵr beth a welaf ynddynt, ai gorffwylledd ynteu atgasedd pur. Fe welaf y cyhuddiad yno o hyd, a'r euogrwydd. Ni all ddianc rhag ei euogrwydd, hyd yn oed berfedd nos, ond rhaid iddo ymgodymu fel y gweddill ohonom. Mae'r cynnwrf yno o hyd hefyd. Fe'i gwelais yn ei lygaid neithiwr. Na, all y ffŵl gwirion ddim dianc rhagddo ef ei hun. (tt.17–18)

Mae'r darn hwn yn crynhoi'r tri phrif emosiwn sy'n effeithio ar fywyd Robin o ddydd i ddydd:

- **euogrwydd** ers iddo ladd ei faban ef a Mared
- **atgasedd** tuag at Mam oherwydd mai hi wnaeth ei orfodi i lofruddio'r baban (dyma'r "cyhuddiad" yn ei lygaid)
- **atyniad rhywiol** tuag at Mared – mae hi'n cyfeirio ato fel "cynnwrf"

Mae hunllefau Robin yn rhoi mynegiant i'r teimladau uchod, yn enwedig ei euogrwydd fel llofrudd (gw. Prif themâu'r nofel: Euogrwydd). Mae'n debyg fod cysylltiad, hefyd, rhwng cyflwr ei feddwl a chyflwr ei iechyd. Er nad oes prawf gwyddonol fod straen meddyliol yn achosi wlser stumog, mae arbenigwyr iechyd yn credu bod straen meddwl yn gallu cyfrannu at y broblem gorfforol.

Tua hanner ffordd trwy'r nofel mae Robin yn cael cyfnod ychydig mwy bodlon. Mae cael ei ffordd ei hun ar fater gwerthu'r gwartheg godro yn rhoi boddhad iddo; am unwaith mae wedi gallu dangos rhywfaint o awdurdod a Mam wedi ildio iddo. Ac wrth i'r ddau hel y defaid i lawr o'r mynydd gwelir eu bod yn gallu cydweithio heb ffraeo. Ond ar ôl ei gyfnod yn yr ysbyty mae pethau'n gwaethygu. Mae ei iechyd yn dirywio, mae colledion ar y fferm ac mae ei berthynas gyda'i fam yn gwaethygu. Ar ben hyn mae'n poeni am berthynas Mared a Jeff ac yna am feichiogrwydd Mared. Rhwng hyn a'i euogrwydd parhaus, mae Robin yn anniddig iawn. Ar ddiwedd y nofel mae marwolaeth Mared yn cael effaith ddramatig arno. Hi, meddai, oedd "yr unig un y gallwn i droi ati" (t.142). Ni all ddioddef meddwl am y dyfodol hebddi, ac mae'n arswydo wrth feddwl am orfod mynd i'r carchar am losgi capel Gilgal. Mae ei hunanladdiad yn ymddangos yn weithred anochel.

Mae sawl enghraifft o dwpdra a naïfrwydd Robin. Gweithred fyrbwyll a blêr yw rhoi capel Gilgal ar dân, ac mae'r heddlu ar ei drywydd bron yn syth. Gwelwn ei naïfrwydd eto yn y ffordd y mae'n ymateb i salwch Mared yn dilyn yr erthyliad, gan gredu stori Mam mai ffliw sydd arni.

Nid yw Robin yn gwbl anfoesol. Mae ei euogrwydd yn dangos hynny. Gall deimlo trueni dros Fo. Yn yr ysbyty, mae rhywfaint o anwyldeb yn dod i'r golwg wrth iddo ymateb i garedigrwydd un o'r nyrsys a'r llawfeddyg. Ond mae rhywbeth yn gyntefig ynddo hefyd, yn enwedig yn ei atyniad corfforol tuag at Mared – nid yw fel petai'n sylweddoli bod hynny'n annaturiol. Fodd bynnag, efallai mai caethiwed bywyd Arllechwedd, a'r diffyg cyfle i gymdeithasu, sydd wedi ei droi fel hyn.

MARED

Mared yw'r mwyaf **deallus a sensitif** o aelodau teulu Arllechwedd. Trwy ei dyddiadur mae'n gwneud ymdrech ymwybodol i wneud synnwyr o bethau, gan geisio dadansoddi effaith digwyddiadau'r gorffennol arnynt fel teulu. Mae'n poeni am Robin lawer mwy nag y mae ef yn sylweddoli, ac mae'n dangos tosturi yn ei gofal am *Fo*.

Ond mae ochr arall iddi hefyd, ochr fwy **caled a chwerw**. Gallwn dybio mai'r ymdrech i ddygymod gyda'i bywyd annaturiol yn Arllechwedd sydd wedi ei gwneud fel hyn. Yn ôl Robin mae hi wedi mynd yn fwy sbeitlyd ac yn barod iawn i gael hwyl ar draul pobl eraill, yn enwedig Robin ei hun, a gwelwn sawl enghraifft o hynny yn y nofel. Ar ôl iddo ddeffro o'i hunllef ar ddechrau'r nofel, mae Robin yn sylwi bod "llygaid Mared yn chwerthin" (t.9).

Merch **unig** iawn ydyw. Does dim sôn am ffrindiau, gan fod Mam wedi gwneud ei gorau i gadw pawb draw o Arllechwedd ar hyd y blynyddoedd. Bu Harri Llwyn-crwn yn gariad i Mared ar un adeg ac mae'n ymddangos bod gan y ddau deimladau at ei gilydd o hyd, ond ni chawsant siawns gan Mam i ddatblygu'r berthynas. Does dim rhyfedd fod Mared, felly, yn 43 oed, yn neidio at unrhyw gyfle am berthynas garwriaethol arall. Prin fod Jeff yn gymar addas iddi ac yntau'n briod a phlant ganddo, ac mae'n amlwg mai rhywiol yw ei unig ddiddordeb ef ynddi. Ond i Mared mae hynny'n well na dim perthynas o gwbl.

Ar un olwg mae Mared yn ymddangos yn berson digon rhesymol. Ar yr wyneb, o leiaf, mae'n ymgodymu'n well na Robin gyda'r problemau teuluol. Yn sicr nid yw'n ymddangos yn wallgof fel *Fo*. Er hynny, mae'n ymddangos ei bod yn dioddef o **salwch meddwl** (gw. Prif themâu'r nofel: Gwallgofrwydd). Mae'n gweld drychiolaethau, ac mae'r ffaith ei bod yn credu bod ysbryd Dewyrth Ifan wedi gallu gwneud iddi feichiogi yn awgrymu cyflwr meddwl simsan iawn. Fel yn achos Robin, nid yw hynny'n syndod o gofio amgylchiadau ei bywyd yn Arllechwedd. Mae'n bosibl hefyd bod Dewyrth Ifan wedi ei cham-drin yn rhywiol pan oedd hi'n ferch fach; ceir efallai hanner awgrym o hynny yn atgofion Robin am ymddygiad gwahanol Dewyrth Ifan tuag at y ddau ohonynt pan oeddynt yn blant:

> Dewyrth Ifan … yn dragwyddol barod ei gelpen i'r 'blydi hogyn 'ma' am ei fod o hyd dan draed a'r un mor barod ei wên ei anwes i Mared … (t.141)

Os yw'n wir fod Dewyrth Ifan wedi cam-drin Mared, byddai hynny'n egluro llawer am natur ei hofnau yn sgil ei beichiogrwydd.

Yn ystod chwarter olaf y nofel mae Mared yn mynd yn fwyfwy **isel ei hysbryd** a gwan o gorff. Mae'r tensiwn rhwng Mam a Robin yn mynd ar ei nerfau ac mae wedi syrffedu ar eu ffraeo. Ond ei gofid mwyaf yw'r baban yn ei chroth a'r ofn y bydd yn wallgof fel *Fo*. Nid yw'n anodd i Mam ei pherswadio nad oes unrhyw ddewis ond cael gwared o'r babi. Ofn y dyfodol sy'n gwneud i Mared gytuno i gael erthyliad yn y dirgel, ond canlyniad trasig hynny yw nad oes ganddi ddyfodol o gwbl.

8. Prif themâu'r nofel

EUOGRWYDD A CHOSB

- **llofruddiaeth**
- **llosgach**
- **cam-drin** *Fo*
- **cyhuddo a beio**

Euogrwydd yw thema ganolog *Yn y Gwaed*. 'Pwy sy'n euog, ac euog o beth?' – dyna'r cwestiynau sy'n codi dro ar ôl tro. Mae drwgweithredoedd y gorffennol yn effeithio ar aelodau teulu Arllechwedd mewn ffyrdd gwahanol. Mae yna lawer o edliw a gweld bai a chyhuddo. Mae "pechod" yn air sy'n cael ei ddefnyddio'n aml ac mae'r syniad o orfod wynebu cosb yn amlwg iawn.

Yng nghymeriad Robin y mae'r euogrwydd yn fwyaf amlwg. Nid yw'n ymddangos ei fod yn edifarhau ynghylch y berthynas losgachol rhyngddo a'i chwaer; yn wir, mae'n dal i deimlo atyniad rhywiol tuag ati. Yn hytrach, y ffaith iddo lofruddio ei faban ef a Mared sy'n pwyso ar ei feddwl. Dyma "euogrwydd mawr ei fywyd" (t.116). Dyma'r rheswm pam mae Robin, fel y mae Mared yn sylwi, yn methu cadw draw o'r berllan lle mae'r baban wedi'i gladdu o dan garreg wen. Mae'r euogrwydd yn rhoi **hunllefau dychrynllyd** iddo lle mae'n gorfod wynebu cosb. Mae'r gosb yn wahanol ond yr un mor erchyll bob tro:

sefyll ei brawf yng nghapel Gilgal. Y capel yw'r llys barn, y pulpud yw'r doc. Wedi ei gael yn euog o lofruddiaeth, mae Robin yn cael ei gario yn y pulpud i'r berllan yn Arllechwedd i'w grogi.

agor bedd y plentyn. Ar orchymyn Mam mae Robin yn mynd i mewn i'r bedd gan dyrchu'n isel i'r pridd nes bod ei draed yn cyffwrdd penglog y plentyn, a llais cyhuddgar (llais y plentyn ei hun?) yn dweud "Chei di ddim dengid. Rhaid wynebu dy bechod" (t.85).

cael ei gloi yn y llofft stabl. Yn yr hunllef hon mae Harri Llwyn-crwn (ynghyd â Sam Preis Garej a John Wil Post) yn ei gyhuddo o lofruddio "babi bach diniwed", gan ddweud mai ei gosb fydd cael ei roi dan glo am byth fel *Fo*.

Ond mae Robin yn teimlo ei bod yn annheg mai ef, ar ei ben ei hun, sy'n gorfod ysgwyddo'r holl euogrwydd. Mae'n ymddangos bod y syniad mai ef yw'r un sy'n gorfod wynebu cosb, **er bod aelodau eraill o'r teulu yr un mor euog**, yn chwarae ar ei feddwl. Mae'r gyntaf o'r tair hunllef uchod yn darlunio hyn mewn modd dramatig iawn. Ac yn y drydedd hunllef uchod, lle mae Harri Llwyn-crwn yn ei alw'n llofrudd, mae Robin yn erfyn ar Mared i gadarnhau ei honiad mai penderfyniad Mam oedd lladd y babi. Mae Robin hefyd yn gweld bai ar Mam am gadw *Fo* yn gaeth yn y llofft stabl. "Sut uffar y medar hi fyw efo'r peth, dwn i ddim," meddai wrtho'i hun (t.21).

Mae Mam ei hun yn ymddangos yn gwbl ddiedifar ynglŷn â'r ddau benderfyniad – rhoi *Fo* dan glo a lladd baban Mared a Robin. Ond mae'r ffaith ei bod yn **gwrthod mynd yn agos at *Fo*** yn awgrymu nad yw hi lawn mor galed a dideimlad ag y mae'n ymddangos. Yn sicr dyna ddehongliad Mared o'r sefyllfa. Mae hi'n dweud fod ofn mawr ar Mam – "ofn afresymol yr hyn sydd tu ôl i ddrws y llofft stabal, ofn ei chydwybod ei hun" (t.38).

Beth am Mared ei hun? Anodd credu na fyddai merch ddeallus a sensitif fel Mared yn teimlo rhyw euogrwydd. Ond mae fel petai ei chymeriad wedi **caledu** dros y blynyddoedd. Fel y dywed hi ei hun, "Chwerwi at Mam ydw i wedi'i wneud ond mae Robin yn corddi yn ei euogrwydd." (t.38). Dadlennol hefyd yw agwedd Mared at ei **dyddiadur**. Ar un llaw, mae wedi mynnu cofnodi popeth ynddo gan gynnwys holl gyfrinachau'r teulu. Mae hynny'n awgrymu bod arni awydd ceisio deall y gorffennol. Eto, mae hi'n dweud na fydd hi byth yn darllen y dyddiaduron – nac yn gadael i neb arall eu darllen chwaith. Felly nid yw hithau, chwaith, yn fodlon wynebu'r gorffennol yn iawn.

Mae Robin a Mared yn llawn sylweddoli bod penderfyniadau Mam yn y gorffennol yn **anghyfiawn**. Ambell dro, yn eu tymer, maent yn herio Mam. Ond dydyn nhw byth yn cael trafodaeth aeddfed a rhesymol ar y problemau teuluol, dim ond gwylltio, cyhuddo, taflu bai ac edliw. Yn y pen draw mae Robin a Mared yn plygu i awdurdod Mam, gyda chanlyniadau trychinebus.

CYFRINACHEDD

- **Llosgach ac erthyliad anghyfreithlon**
- **Celu gwybodaeth**
- **Bywyd ynysig, unig**

O gofio pynciau'r nofel, nid yw'n syndod fod cyfrinachedd yn thema amlwg. Mae **llosgach** yn anghyfreithlon yng ngwledydd Prydain. Y mae hefyd yn dabŵ cymdeithasol, yn rhywbeth cudd a chyfrinachol o'i hanfod. Yn achos teulu Arllechwedd mae'n rhaid cuddio cynnyrch y llosgach hefyd. Dyna pam mae *Fo* dan glo yn y llofft stabl a pham fod corff baban bach a anwyd yn holliach wedi'i gladdu yn y berllan. Mae bywyd Mam yn un ymdrech fawr i warchod y cyfrinachau hyn.

Rhan o'r un cyfrinachedd yw ymdrech Mam i roi **erthyliad cartref**, yn y dirgel, i Mared. Unwaith eto, amheuir bod y baban yn ei chroth wedi'i genhedlu trwy losgach. Mae Mared ei hun yn credu mai Dewyrth Ifan yw'r tad ac efallai ei bod wedi llwyddo i ddarbwyllo Mam o hynny hefyd (er bod Mam yn tybio i ddechrau mai Robin yw'r tad unwaith eto). Dyma pam mae'n rhaid cael gwared ar y babi. Roedd erthyliadau anghyfreithlon o'r math yma – erthyliadau stryd gefn fel y'u gelwir – yn weddol gyffredin ym Mhrydain hyd at 1967 pan ddaeth erthyliad o dan amodau priodol a diogel yn gyfreithlon. Heb oruchwyliaeth feddygol na gofal dros lanweithdra, roedd yr erthyliadau anghyfreithlon yn aml yn driniaethau hynod o beryglus, ac weithiau byddent yn arwain at farwolaeth y ferch neu'r wraig. Gallent hefyd arwain at erlyn yr erthylydd ac weithiau'r wraig ei hun. Dyma gefndir y ffilm lwyddiannus *Vera Drake* (2004) am erthylwraig yn Llundain yn y 1950au. Er mai yn niwedd yr 20fed ganrif y mae *Yn y Gwaed* wedi'i gosod, mae erthyliad Mared fel petai'n perthyn i fyd cynharach yr erthyliadau anghyfreithlon a dirgel hyn. Roedd gwthio erfyn miniog i mewn i'r groth yn un dull cyffredin o geisio lladd y ffetws ac o gofio mai gwaedu i farwolaeth y mae

Mared, efallai mai dyna'r dull sy'n cael ei ddefnyddio gan Mam er na cheir manylion. (O gofio bod gweillen yn un erfyn a ddefnyddid yn yr erthyliadau anghyfreithlon, mae'n ddiddorol sylwi bod Mared yn cael hunllef am Mam yn dod i mewn i'r llofft lle mae hi a Harri/Jeff yn caru gyda gweillen boeth yn ei llaw. Tybed ai rhagfynegi'r erthyliad sydd i ddod y mae hyn, neu efallai adlewyrchu ymdrech gynharach at erthyliad pan oedd Mared yn feichiog o'r blaen, gyda babi Robin?)

Yn ogystal â phynciau'r nofel, mae sawl peth arall yn pwysleisio cyfrinachedd ac arwahanrwydd bywyd yn Arllechwedd. Mae Arllechwedd wedi'i leoli ym mhen ucha'r Cwm ac felly'n lle gweddol **anghysbell**. Mae'r fferm ar ei chyflenwadau trydan a dŵr ei hun, a does dim ffôn yn y tŷ. Mae hyn yn dwysáu'r argraff gyffredinol fod y lle wedi'i ynysu oddi wrth weddill cymdeithas. Mared yw'r unig un o'r teulu sy'n darllen. Mae'r Nadolig yn cyrraedd heb i neb ond Mared sylwi. Prin yw'r ymwelwyr (gw. <u>Dadansoddiad o'r prif gymeriadau</u>: <u>Mam</u>). Prin hefyd yw'r golygfeydd hynny yn y nofel sy'n digwydd y tu hwnt i dir y fferm.

Er gwaethaf pob ymdrech i warchod y cyfrinachau, mae'n amlwg bod y teulu'n destun siarad yn yr ardal ers blynyddoedd. Mae **sibrydion** ar led (e.e. gw. <u>Dyfyniadau pwysig</u>, rhif 3 (geiriau Isaac Thomas) a rhif 4 (meddyliau Parri Bach y doctor)). Mae Robin yn cael ei adnabod ymhlith pobl leol fel Robin-Dewyrth-Ifan – arwydd arall fod pobl yn siarad ac yn amau.

Ar ddiwedd y nofel mae'n ymddangos bod o leiaf rai o'r sibrydion hyn ar fin cael eu **profi'n wir**, yn sgil marwolaethau Robin a Mared. Mae'n amlwg bod gan Parri Bach amheuon cryf fod Mared wedi marw trwy erthyliad anghyfreithlon. A fydd y post mortem yn profi hynny? Rhaid cofio hefyd am y darn papur sydd wedi'i ddarganfod yn ymyl corff Robin – nid nodyn hunanladdiad, fel y tybia'r heddlu, ond yn hytrach y darn olaf o ddyddiadur Mared, wedi'i ysgrifennu ganddi y noson cyn iddi farw. Beth bynnag yw'r wybodaeth sydd arno (ni chawn wybod hynny), bydd y darn papur hwn bellach yn mynd yn rhan o'r cwest. O gofio am y straeon sydd ar led yn yr ardal ers amser maith, a fydd yr heddlu'n dod i Arllechwedd i chwilio am gorff baban arall, cynharach o eiddo Mared? A fydd Mam yn cael ei herlyn? Sut fydd hi'n gallu cadw bodolaeth *Fo* yn gyfrinach o hyn ymlaen? Am flynyddoedd, mae Mam wedi gwarchod ei theulu rhag llygaid busneslyd y cyhoedd a rhag yr awdurdodau, ond yn awr does neb o'r teulu ar ôl ar wahân iddi hi a *Fo* ac mae'n ymddangos bod ei gwe o gelwyddau, twyll a hunan-dwyll ar fin chwalu.

GWALLGOFRWYDD

- ***Fo* – melltith y genynnau**
- **Rhoi'r gwallgof dan glo**
- **Ofn gorffwylledd**

Mae llenyddiaeth ar hyd yr oesoedd wedi ymdrin gyda gwallgofrwydd, a dyma un o brif themâu *Yn y Gwaed*. Mae *Fo* yn **ymgorfforiad brawychus o wallgofrwydd**, yn y ffordd y mae'n edrych, yn ymddwyn ac yn swnio. Nid yw'n gallu siarad na rhesymu ac mae'n debycach i anifail nag i ddyn. Ac yntau bellach bron yn 50 oed, mae wedi treulio'i fywyd cyfan dan glo yn y llofft stabl ar ei ben ei hun. Mae'n anodd credu nad yw'r cam-drin a'r unigrwydd hwn wedi gwaethygu ei gyflwr cynhenid.

Yn y gorffennol, roedd tuedd gref i neilltuo pobl a oedd â nam meddyliol arnynt, neu a oedd yn dioddef o salwch meddwl, oddi wrth weddill cymdeithas. Caent eu cloi i ffwrdd, i bob pwrpas, mewn sefydliadau megis ysbyty meddwl neu "seilam". Mae agweddau wedi newid ers hynny a llai o stigma ar salwch meddwl. Bellach mae meddylfryd mwy dynagarol a goleuedig yn llywio polisïau ym maes iechyd meddwl ac mae pwyslais ar integreiddio pobl sâl eu meddwl yn y gymdeithas. Ond er bod *Yn y Gwaed* wedi'i gosod yn y cyfnod modern, mae agweddau'r teulu at *Fo* yn ein hatgoffa am y meddylfryd cynharach llawn rhagfarn ac ofn. Nid yw hyd yn oed wedi cael enw ganddynt.

Er bod *Fo* wedi cael ei wthio o olwg y teulu, ni allant ei anwybyddu'n llwyr. Mae ei sŵn torcalonnus i'w glywed yn gyson ac un noson mae'n dianc. Mae'n codi arswyd ar Mam a Robin, yn arbennig. Mae Mared wedi cyfarwyddo mwy gydag ef gan mai hi sy'n ei fwydo, ond wrth iddi ddarganfod ei bod yn feichiog mae'n dechrau poeni y gallai hi genhedlu plentyn tebyg i *Fo*:

Mae pethau felly'n medru rhedeg mewn teulu, medden nhw – erthyl o frawd a rŵan, hwyrach, erthyl o fab hefyd. Duw a'm gwaredo! (t.99)

Ofn mawr Mared yw bod gwallgofrwydd yn rhywbeth **etifeddol**, yn enwedig gan ei bod yn credu erbyn hyn mai Dewyrth Ifan yw tad y plentyn yn ei chroth. Mae'n wir fod plentyn a enir o berthynas losgachol â siawns uwch o fod â nam cynhwynol arno a does dim angen i neb egluro hynny wrth Mared. Iddi hi mae *Fo*, wedi'i genhedlu gan Mam a Dewyrth Ifan, yn dystiolaeth eglur a dychrynllyd o'r peryglon.

Fodd bynnag, yr eironi yw bod Mared ei hun, yn ei hofn a'i phryder, yn dangos arwyddion o salwch meddwl. Er ei bod yn ymddangos yn berson rhesymol, mae'r ffaith ei bod yn credu bod ysbryd wedi gallu ei gwneud hi'n feichiog yn awgrymu problem seicolegol ddofn. Fel y dywed Jane Edwards yn ei beirniadaeth ar y nofel yn Eisteddfod Genedlaethol Cwm Rhymni 1990, "Yn gynnil a chlyfar dangosir ei bod yn methu gwahaniaethu rhwng realiti a ffantasi".[3]

Mae lle i gwestiynu cyflwr meddwl Mam a Robin hefyd. A yw Mam, fel ei merch, yn gweld ysbrydion? Yn sicr nid yw'n synnu o gwbl pan ddywed Mared wrthi ei bod yn gweld ysbryd Dewyrth Ifan. A yw hithau felly, fel Mared, yn credu ei bod yn bosibl mai Dewyrth Ifan yw'r tad? Ai dyna pam y mae hi'n mynnu mai erthyliad yw'r unig ateb? Pam nad yw Mared na Mam fel petaent yn fodlon ystyried y posibilrwydd real mai Jeff yw'r tad a'i fod yn dweud celwydd am y fasectomi rhag gorfod derbyn cyfrifoldeb dros y plentyn?

Er ei bod yn amhosibl bod yn sicr beth yw cymhellion Mam, mae un peth yn amlwg – oherwydd hanes teuluol, mae **ofn gwallgofrwydd** yn emosiwn pwerus yn nheulu Arllechwedd. Efallai fod *Fo* dan glo ac allan o'r golwg, ond mae'n fwgan anferth yn eu meddyliau. Dyna pam y mae hunllefau Robin yn dychryn cymaint ar Mam:

---

[3] *Eisteddfod Genedlaethol Frenhinol Cymru Cwm Rhymni 1990: Cyfansoddiadau a Beirniadaethau*, t.94

Sbia arnat ti! Rwyt ti'n furum o chwys. Mi ei ditha o dy bwyll hefyd! Wyt ti 'nghlwad i? Ddim yn gall fyddi di! (t.8)

Mae Mared, wrth sôn yn ei dyddiadur am hunllefau Robin, yn dweud bod yr olwg yn llygaid Robin weithiau'n ei hatgoffa am *Fo*. Mae Robin yn breuddwydio am Mared wedi troi'n debyg i *Fo*, a thua diwedd y nofel mae'n dweud wrth Mam fod Mared yn "drysu" ac yn "gweld petha".

Yn eu tro, mae pawb o'r tri phrif gymeriad yn amau neu'n cyhuddo'i gilydd o fod yn wallgof. Mae'r arswyd hollbresennol hwnnw yn drech na phob rheswm yn y diwedd, ac yn llywio eu gweithredoedd dinistriol.

DIRYWIAD

- **dirywiad Arllechwedd**
- **dirywiad y Cwm**
- **Seisnigo bro Gymraeg**

Mae dirywiad yn air sy'n dod i'r meddwl yn aml wrth ddarllen *Yn y Gwaed*. Mae'r dirywiad yn hanes y fferm a'r cartref fel petai'n adleisio chwalfa'r teulu a dadfeiliad yn y gymdeithas yn gyffredinol.

Does dim llawer o drefn ar fywyd yn Arllechwedd. Nid yw Mam na Mared yn cael unrhyw bleser o waith tŷ, a cheir sawl awgrym fod y lle wedi bod yn **flêr a budr** ers amser maith. "Ers pryd uffar 'dach chi 'di dechra sylwi fod angan llnau'r lle 'ma?", gofynna Mared i Mam ar ôl cael gorchymyn i'w helpu hi i ysgwyd llwch o'r matin, er mwyn ei rhwystro rhag mynd allan o'r tŷ yng nghwmni Harri Llwyn-crwn yn dilyn ei ymweliad (t.16). Mae Mam yr un mor ddi-hid ynglŷn â glanweithdra personol; mae sôn am ei dwylo a'i hewinedd budr ac yn un man cawn wybod nad yw wedi ymolchi na chribo'i gwallt. Mae cyfeiriadau at ddillad hen a di-raen Robin a Mared, ac mae Mared yn sylwi bod Robin wedi mynd "yn flêr efo fo'i hun", fel petai'n "ormod o drafferth ganddo fo siafio'n amlach na newid 'i drôns" (t.25).

Allan ar y buarth ac o gwmpas y fferm, mae arwyddion pellach o ddiffyg gofal a sylw, fel y domen dail fawr a'r tractor sydd wedi torri ers misoedd. Mae oerfel y gaeaf yn dod â cholledion i'r fferm wrth i rai o'r defaid a'r gwartheg farw, heb sôn am Mic yr hen gi defaid.

Y tu hwnt i'r fferm, cawn sawl cip ar y newid ym mywyd yr ardal, yn **economaidd a chymdeithasol**. Amaethyddiaeth fu'n cynnal yr ardal ar hyd y blynyddoedd ond yn awr mae mwy o bwyslais ar ffatrïoedd, fel y rhai newydd sy'n codi o gwmpas Hirfryn, y dref agosaf. Yn sgil hyn mae'r ffordd o fyw yn newid hefyd, a hen draddodiadau'n diflannu. Mae Harri Llwyn-crwn yn sôn am hyn wrth Mam a Mared ar ôl galw yn Arllechwedd ar ei ffordd adref o'r ffair galan gaeaf. Dyma sut mae Mared, yn ei dyddiadur, yn cofnodi'r hyn a ddywedodd Harri, gan ychwanegu ei hargraffiadau hi ei hun o'r dirywiad hefyd:

> Y ffair wedi mynd yn beth sâl, medda fo, wedi dirywio'n arw. Nid dyna'r unig beth i ddirywio. Mae'r Cwm yn dirywio ers blynyddoedd, byth oddi ar gwerthu Dôl-haidd a Chae'rperson i Saeson. Fu ysgol fach Rhyd-y-gro fawr o dro'n cau wedyn a chapel Gilgal ar ei hôl. Mae'r Cwm yn marw ar ei hyd, chwedl Harri. (t.18).

Mae Robin hefyd yn sylwi ar y newidiadau hyn, yn teimlo'u heffaith wrth ddod ar draws un enghraifft ar ôl y llall o'r **Seisnigo** cyffredinol – yn y pentref ac yn ystod ei arhosiad yn yr ysbyty. Wrth ddarllen dyddiaduron Mared ar ddiwedd y nofel mae brawddeg Harri ynglŷn â'r ffaith fod "y Cwm yn marw ar ei hyd" yn tynnu ei sylw. Ond erbyn hyn mae Robin yn gweld Harri ei hun fel rhan o'r broblem. Mae'n ei ddisgrifio fel "bradwr uffar" ac fel "pry cachu" (rhywun sydd wedi codi o ddim) oherwydd ei fod mor barod i ystyried gwerthu Llwyn-crwn i Sais.

Mae'r sgwrs yn y dafarn rhwng Robin, Harri, Sam Preis Garej a John Wil Post yn adlewyrchu gwahanol agweddau yn y gymdeithas leol tuag at ddyfodiad y mewnfudwyr. Mae Sam a John Wil, fel Harri, yn croesawu unrhyw ymdrech i ddod â datblygiadau newydd i fywiogi'r ardal. Fel y dywed Sam, "*Development*, Robin! Rhaid i'r byd fynd yn 'i flaen." (t.123). Ond i Robin, mae'r holl newid yn dieithrio'r ardal ac yn cyfrannu at ei anhapusrwydd cyffredinol. Ar ddiwedd y nofel, nid yw'n teimlo bod neb na dim ar ôl yn Arllechwedd nac yn yr ardal sy'n werth byw er eu mwyn. Er bod ymateb Robin i hynny, sef hunanladdiad, yn eithafol, mae ei deimladau am y newid yn y fro yn adlewyrchu pryderon real yn y gymdeithas Gymraeg go iawn wrth iddi ddod dan fygythiad yn sgil newid demograffig y degawdau diwethaf.

9. Iaith ac arddull

Saernïaeth a thensiwn

Mae *Yn y Gwaed* wedi'i saernïo'n ofalus mewn modd sy'n gweddu i'w chynnwys. Nid nofel am ddigwyddiadau mawr dramatig mohoni (er bod sawl ddigwyddiad o'r fath tua'r diwedd). Yn hytrach, mae ei chryfder yn ei phortread treiddgar o deulu sy'n byw dan faich eu gorffennol tywyll a'r modd y caiff y gorffennol hwnnw ei ddatgelu inni. Gwneir hynny yn bennaf trwy **awgrymiadau** cynnil yma ac acw – yn hunllefau Robin, yn ei feddyliau ef a Mared ac yn nyddiaduron Mared. Mae'r gwrthdaro rhwng y cymeriadau hefyd yn fodd o ddatgelu gwybodaeth. Wrth i'r tyndra rhyngddynt gynyddu, ac wrth iddynt ffraeo'n amlach ac yn fwy ffyrnig, daw mwy a mwy o'r gwir i'r amlwg. Mae amgylchiadau'r presennol, yn enwedig beichiogrwydd Mared, yn rhoi straen ychwanegol ar berthynas y tri â'i gilydd ac yn creu gwrthdaro sy'n dod â rhagor o bethau i'r wyneb. Wedi dweud hynny, nid oes atebion hawdd i bopeth ac mae dirgelwch yn rhan bwysig o apêl nofel.

Iaith

Mae iaith y nofel yn iaith gyhyrog, idiomatig a lliwgar. Mae blas gogleddol pendant arni gyda defnydd cyson o eiriau tafodieithol, yn enwedig yn y ddeialog, er enghraifft "stwcan" (t.14), "solat" (t.25), "llabwst" (t.25), "hoedan" (t.102) a "sinach" (t.23). Mae blas gwledig ar yr iaith hefyd, gyda nifer o dermau o'r byd amaethyddol yn cael eu defnyddio (e.e. sonnir am fwyd i'r anifeiliaid fel "porthiant", am y farchnad fel "mart" ac am y tractor fel "Ffergi" (y ddau olaf yn dalfyriad Cymraeg o "market" a "Ferguson"). Soniodd John Rowlands yn ei feirniadaeth eisteddfodol ar *Yn y Gwaed* fod yna rywbeth yn arw a chras yn yr iaith a hynny'n gweddu i bwnc y nofel.[4] Yn sicr mae yna eiriau sy'n cyfleu chwerwder neu ddicter yn cael eu defnyddio'n aml, er enghraifft "bustlaidd", "ystyfnig" a "pwdlyd" (i ddisgrifio Robin), "bytheirio", "arthio", "rhefru" (i gyfleu cega Mam). Mae rhegfeydd a llwon yn ategu'r argraff o iaith arw yn ogystal â chyfleu'r tensiwn a'r diffyg amynedd rhwng aelodau'r teulu.

---

[4] *Eisteddfod Genedlaethol Frenhinol Cymru Cwm Rhymni 1990: Cyfansoddiadau a Beirniadaethau*, t.101

Awyrgylch

Mae'r awdur yn feistr ar greu awyrgylch. Yn ogystal â bod yn ddadansoddiad seicolegol o'i chymeriadau, mae *Yn y Gwaed* yn stori arswyd iasol. Yn wir, fel y dywedodd Dafydd Elis Thomas yn ei feirniadaeth eisteddfodol yntau, nid yw'n anodd dychmygu'r nofel fel ffilm arswyd, gan fod apêl weledol gref iddi.[5] Mae hunllefau Robin, y disgrifiadau o *Fo* a'r disgrifiadau o ymddangosiadau Dewyrth Ifan i Mared i gyd yn cynnwys disgrifiadau gweledol dychrynllyd.

Rhan bwysig arall o **apêl weledol** y nofel yw'r defnydd o liwiau fel **symbolau**. Y tri lliw symbolig yw coch, du a gwyn. Mae'r tri lliw hyn yn cael eu cyflwyno ar ddechrau'r nofel, yn hunllef gyntaf Robin, ac mae'r awdur yn dychwelyd atynt sawl gwaith wedyn mewn hunllefau ac yn y naratif.

COCH

Dyma'r prif liw symbolig. Yn hunllefau Robin mae sôn am waed ar y garreg wen yn y berllan, yn nagrau Mared, ar law Robin, ac yn rhedeg dros wyneb a gwallt Robin ar ôl iddo gael ei grogi. Y tu allan i'r hunllefau hefyd, mae cyfeiriadau cyson at y lliw coch – eto, mewn cysylltiad â gwaed. Fel arfer mae'n cynrychioli euogrwydd Robin am iddo lofruddio baban Mared. Mae'r ymadrodd "gwaed ar ei ddwylo" (am rywun sy'n euog o ladd neu achosi marwolaeth rhywun) yn un sy'n dod i'r meddwl yn aml wrth ddarllen y nofel. Drannoeth hunllef y crogi, wrth sylwi mai gwyn, ac nid coch, yw'r garreg yn y berllan wedi'r cwbl, dywed Robin mai ei ddwylo ef a'i fam sy'n goch ac nid y garreg: "Fy hen facha i sy'n goch … a bacha Mam … O ia, ma' dwylo Mam yn gochach na rhai neb." (t.17). Mae'r lliw hefyd yn cael ei ddefnyddio fel trosiad am dymer wyllt Robin; mae sôn yn aml am y gwaed yn codi yn ei ben pan fydd wedi gwylltio (e.e. t.24, t.76). Yn ogystal, mae pwyslais ar y lliw coch yn y disgrifiadau o *Fo* yn hunllefau Robin a Mared ac yn y naratif. Mewn un hunllef mae *Fo* yn glafoerio gwaed, a sonnir fwy nag unwaith am gochni ei wefusau, ei geg a'i lygaid. Yn ogystal â bod yn symbol o euogrwydd a dicter Robin, mae'r lliw coch, felly, yn cael ei gysylltu â gwallgofrwydd.

[5] *Eisteddfod Genedlaethol Frenhinol Cymru Cwm Rhymni 1990: Cyfansoddiadau a Beirniadaethau*, t.96

GWYN

Y prif bethau gwyn yw'r garreg wen sy'n dynodi bedd y baban a'r eira yn y berllan (yn hunllef Robin am orfod agor y bedd). Yn aml, mae coch a gwyn yn cael eu gwrthgyferbynnu – e.e. gwaed ar y garreg wen ac ar yr eira. Yn draddodiadol, mae gwyn yn cynrychioli purdeb a glendid a diniweidrwydd; yn y nofel hon, yn ogystal, mae gwyn fel petai'n symbol o bethau pur a diniwed sydd wedi cael eu difetha, yn enwedig bywyd y plentyn bach. Efallai mai dyna pam y mae'r lliw yn cael ei gysylltu hefyd â Mared, e.e. yn y cyfeiriad at ei choban wen ac, ar ddiwedd y nofel, at wynder ei hwyneb wrth iddi orwedd yn ei gwely yn dilyn ei herthyliad. Mae Robin wedi difetha ei phurdeb hithau hefyd wrth gael perthynas rywiol annaturiol â hi, ac mae Mam wedi achosi ei marwolaeth.

DU

Dyma liw arall sy'n amlwg yn hunllefau Robin. Yn yr hunllef gyntaf, lle mae Robin yn breuddwydio am lofruddio Mam yn ystod storm, mae sôn bod y pethau canlynol yn ddu – coed a cherrig, wyneb Mared, ceg Mared wrth iddi chwerthin, gwddw Mam sydd wedi ei dorri â chyllell, llafn y gyllell, a chysgod du sy'n dod dros Robin (cysgod Dewyrth Ifan tybed?). Yn yr hunllef olaf, lle mae Harri Llwyn-crwn yn cyhuddo Robin o fod yn "llofrudd babis bach", mae coch a du'n cael eu crybwyll ochr yn ochr. Mae llaw Robin yn ddu ar ôl iddo'i llosgi ar ôl rhoi capel Gilgal ar dân, ond mae hi hefyd, meddai Harri, yn goch am fod Robin yn llofrudd. Mae düwch yn cael ei awgrymu eto yn nes ymlaen yn yr hunllef hon, yn nisgrifiad Harri o'r modd y bu farw'r baban: "Mygu babi bach diniwad efo gobennydd; dyna 'nath o, hogia. 'I gloi o mewn twllwch gwaeth na'r llofft stabal" (t.131). Ac ar ddiwedd y nofel, pan glywa Robin fod Mared wedi marw, mae'r lliw du yn cael ei ddefnyddio i ddisgrifio stad ei feddwl: "Aeth popeth yn ddu i Robin" (t.140). Mae'r holl sôn am ddüwch yn pwysleisio natur dywyll stori a themâu'r nofel.

Mae'r **clywadwy** yn bwysig yn y nofel yn ogystal â'r gweladwy. Y sŵn mwyaf cyson yn y nofel yw'r sŵn a wneir gan *Fo*. Cyfeiria Robin yn gynnar yn y nofel at y "cwynfan cyfarwydd pell", gan ei ddisgrifio fel "Sŵn enaid ar gyfeiliorn" (t.21); sonia hefyd am y "griddfan torcalonnus" (t.21). Ar adegau mae *Fo* yn gwneud mwy o sŵn nag arfer, fel yr adeg pan mae rhywbeth – ysbryd Dewyrth Ifan yn ôl Mared – yn aflonyddu arno. Mae Mared yn disgrifio'r sŵn fel un sy'n "fwy o gri anifail nag un dyn" (t.57). Ar ddiwedd y nofel, mae tri sŵn yn dod i glyw Mam yn ei hunigrwydd, sef sŵn y cloc mawr yn taro chwech, sŵn "y gwynt yn nadu ei alar" a sŵn *Fo* – y "dolefain o'r llofft stabl". Mae cyfeiriadau at nifer o synau eraill yn y nofel, ac fel arfer mae'r rheini hefyd yn synau sy'n creu teimladau o anesmwythyd neu arswyd, e.e. synau gwahanol adar y tu allan i'r fferm yn y nos (y sguthan a'r gylfinir yn enwedig; gw. t.47 a t.59). Enghraifft dda arall o allu'r awdur i greu awyrgylch trwy ddisgrifio sŵn yw'r disgrifiad o lif gadwyn Robin wrth iddo lifio'r canghennau:

> Am ddeuddydd cyfan bu lli-jaen Robin yn sgrechian ei phrotest gorffwyll, a'i sŵn fel sŵn cacwn mewn potel, yn cael ei daflu'n ôl a blaen rhwng y llethrau. A phan fyddai'r tân yng nghylla Robin yn cynddeiriogi mwy nag arfer neu'r gwlybaniaeth yn creu anghysur, byddai tôn y llifio yn amlygu hynny hefyd.
> (t.40)

Mae'r disgrifiad uchod yn fwy na disgrifiad o sŵn llifio; mae'n cyfleu tymer flin Robin hefyd a hyd yn oed yn adlewyrchu'r pyliau o boen yn ei stumog.

Ffordd arall effeithiol iawn o greu awyrgylch yn y nofel yw drwy'r disgrifiadau o'r **tywydd**. Nofel wedi'i gosod yn y gaeaf yw *Yn y Gwaed*, ac oddi mewn i'r pum mis sydd dan sylw ceir pob math o dywydd gaeafol. O gofio bod y nofel wedi'i lleoli mewn mynydd-dir – Eryri, mae'n debyg – mae'r amrywiaeth yn y tywydd yn realistig, ond mae iddo bwrpas llenyddol hefyd, fel cefnlen i'r ddrama sy'n digwydd yn hanes y teulu. Mae'r niwl trwchus ar ddechrau'r nofel (tt.9–10, t.29) yn cael ei ddilyn gan dywydd gwyntog sy'n tynnu'r dail oddi ar y coed o gwmpas y fferm nes gwneud i'r lle edrych yn noeth ac agored iawn. Gwneir y sylw fod yr olwg aeafol yma'n gweddu'n dda i'r tŷ:

> Magodd y lle wedd ddigalon y gaeaf ond, â chrio'r gwynt yn y cangau yn dwysáu'r min nosau tywyll, roedd y tŷ fe pe'n fwy clyd, ac yn fwy bodlon. Roedd y trymder yn gweddu'n well. (t.39)

Glaw mawr sy'n dod nesaf, nes bod afon Dwysarn yn gorlifo. Erbyn y Nadolig, mae'n oeri a daw'r eira – eira ysgafn i ddechrau, ac yna, ym mis Chwefror, eira mawr. Mae'r eira yn cael ei broffwydo gan Mam:

> 'Ma' hi'n gneud gwely iawn beth bynnag,' meddai Mam un noson, gan syllu trwy ffenest fach y gegin ar yr awyr glir serennog a'r lleuad lawn. 'Synnwn i ddim na chawn ni gnwd cyn y gwelwn ni lawar o'r mis bach.' (t.88)

Ystyr yr ymadrodd "Ma' hi'n gneud gwely iawn" (t.90) yw bod yr oerfel a'r rhew yn baratoad ar gyfer eira (h.y. bydd yr eira'n siŵr o lynu). Wrth iddi ddechrau bwrw eira'n drwm yn fuan wedyn, mae Robin yn cofio ymadrodd ei fam. Er mai meddwl am y tywydd y mae Robin yma, i'r darllenydd mae'r ffaith fod y geiriau'n cael eu hailadrodd yn creu disgwylgarwch gan gynyddu'r ymdeimlad fod yna bethau mawr ar fin digwydd ym mywyd teulu Arllechwedd hefyd. Yn rhan olaf y nofel ceir disgrifiadau o law ac o awyr sy'n "ddu ac yn llawn" (t.114) ac mae hyn hefyd yn paratoi'r llwyfan ar gyfer drama'r tudalennau olaf.

Cymariaethau a throsiadau

Mae'r nofel yn llawn cymariaethau trawiadol sy'n grymuso'r dweud. Er enghraifft, mae'r awdur yn dweud bod croen Dewyrth Ifan "yn rhychog felyn fel hen femrwn" (t.47), bod Mam yn troi ar Mared "fel sarff" (t.31) a bod Je-si-bî prysur "fel rhyw gacwn bychan gorffwyll yn y pellter" (tt.53–4). Ac o gofio am dri lliw symbolig y nofel, arbennig o addas yw'r disgrifiad ar ddiwedd y nofel o'r car heddlu a'r hers sy'n cario cyrff Mared a Robin yn gadael y fferm:

> Roedd sylw Harri wedi'i hoelio ar y daith araf i lawr Cae-dan-tŷ, yr hers fel chwilen loywddu yn erbyn cefndir y lluwchfeydd styfnig, y fflach goch ar y car blaen fel staen o waed ar y gwynder. (t.148)

Yn yr un modd, mae trosiadau effeithiol iawn yn y nofel. Mae sôn, er enghraifft, am afon Dwysarn "yn nadreddu rhwng ponciau anwastad gan fwyta'n gyson i'w glannau graean" (t.22), ac am y glaw yn "tabyrddu'n swnllyd" ar do sinc y sgubor. Trawiadol hefyd yw'r darlun o Mared wedi codi godre ei ffrog "yn grud i'r wyau" (t.37).

Ansoddeiriau

Mae Geraint V. Jones yn awdur sy'n manteisio'n llawn, wrth ddisgrifio, ar rym ansoddeiriau dethol. Dyma enghreifftiau:

- "Llawysgrifen fawr, flêr, flinedig" (t.145) – disgrifiad o lawysgrifen y darn olaf o ddyddiadur Mared, sy'n cael ei ddarganfod wrth ymyl corff Robin yn y sgubor; mae'r ansoddeiriau yn cyfleu ei gwendid corfforol a chyflwr ei meddwl (mae ei llawysgrifen arferol yn daclus)
- "[g]wên felen ddanheddog" (t.52) – disgrifiad o wên ysbryd Dewyrth Ifan, yn cyfleu arswyd y ddrychiolaeth i Mared
- "gweflau llac" (t.25) – disgrifiad Mared o geg Robin, yn cyfleu ei olwg flêr ddi-lun
- "baco llyngyrllyd" (t.44) – yr ansoddair yn cyfleu golwg ddarniog y baco.

10. Crynodeb fesul darn

Penodau 1 – 3 (Tachwedd)

Mae'r llyfr yn agor gyda disgrifiad o un o hunllefau Robin ac mae gweddill Pennod 1 yn disgrifio'r diwrnod trannoeth. Cawn ein cyflwyno nid yn unig i Robin ond hefyd i aelodau eraill o deulu Arllechwedd, sef ei chwaer Mared a Mam, wrth iddynt fynd o gwmpas eu gwaith ar y fferm. Mae cymydog, sef Harri Llwyn-crwn, yn galw heibio ar ei ffordd o'r ffair galan gaeaf yn Hirfryn. Yn y penodau cyntaf hyn hefyd mae'r cyfeiriadau cyntaf at *Fo* yn y llofft stabl – ac at Dewyrth Ifan a arferai ffermio yn Arllechwedd, gydag awgrym cryf iawn mai ef yw tad Mared a Robin. Trwy lygaid Robin disgrifir yr olygfa o'r Cwm a geir o'r fferm ac mae Robin yn sylwi ar y bobl newydd sy'n byw yn fferm gyfagos Dôl-haidd yn cerdded i lawr am yr afon yng ngwaelod y Cwm. Mae *Fo* yn dychryn pawb o'r teulu wrth ddianc o'r llofft stabl wedi i Mared anghofio cloi'r drws. Mae Robin yn cael hunllef arall. Dywed Mared wrth ei mam ei bod wedi gweld ysbryd Dewyrth Ifan a hynny am y trydydd tro; cyn diwedd Pennod 3 mae'n cofnodi yn ei dyddiadur ei bod hi wedi gweld yr ysbryd unwaith eto. Daw mecanic o'r enw Jeff – Sais sydd wedi symud i'r ardal – i Arllechwedd i weld tractor sydd wedi torri. Mae Mared ac yntau yn cymryd diddordeb yn ei gilydd.

Penodau 4 – 7 (Rhagfyr)

Dair wythnos yn ddiweddarach daw Jeff yn ôl i Arllechwedd o'r diwedd gyda darn newydd ar gyfer y tractor. Daw'n amlwg ei fod yn briod gyda dau o blant, ond mae'n fflyrtio'n agored gyda Mared. Mae Mared yn cael breuddwyd braf am garu gyda Harri Llwyn-crwn/Jeff ond mae'r freuddwyd yn troi'n hunllef am Robin a Mam, ac yna wedi iddi ddeffro mae'n gweld ysbryd Dewyrth Ifan eto – y tro hwn mae i mewn yn ei gwely. Y noson ganlynol mae hi'n gweld yr ysbryd unwaith yn rhagor, y tro hwn yn y llofft stabl yn codi ofn ar *Fo*.

Yn y cyfamser penderfyna Robin ei fod am werthu'r gwartheg godro ac er mawr syndod iddo ef a Mared mae Mam yn cytuno iddo wneud hynny a phrynu bustych yn eu lle. Yn ystod y penodau hyn hefyd mae Robin yn sylwi bod rhyw weithgaredd peirianyddol yn mynd ymlaen wrth yr afon, yr ochr isaf i bentref Rhyd-y-gro. Un diwrnod, wrth hel y defaid o'r mynydd gyda'i fam, mae'r ddau'n sylwi bod peiriannau'n tyrchu'r tir ar ddwy lan yr afon, ar dir ffermydd Dôl-haidd a Chae'rperson. Yr un diwrnod, tra mae Mam a Robin i ffwrdd, daw Jeff i Arllechwedd eto i weithio ar y tractor, gan wahodd ei hun i'r tŷ am baned gyda Mared.

Drannoeth, a hithau'n ganol Rhagfyr erbyn hyn, mae Robin yn mynd â'r gwartheg godro i'r farchnad yn Hirfryn i'w gwerthu a phrynu bustych yn eu lle. Wrth deithio trwy Ryd-y-gro caiff olwg agosach ar y datblygiadau ar ddwy lan yr afon. Mae arwydd mawr newydd yn dangos bod cwmni o'r enw 'Lower Ford United Gravel Co.' ar waith yno. Ar ei ffordd adref o'r farchnad daw Robin yn ei lori wyneb yn wyneb ag un o loriau'r cwmni newydd, ac wrth orfod gwneud lle iddi basio mae'n colli ei dymer gyda'r Sais sy'n ei gyrru. Mae'n cyrraedd adref mewn hwyliau drwg wrth feddwl am y modd y mae'r ardal yn newid mor gyflym. Yn Arllechwedd mae sioc arall yn ei aros wrth iddo ddarganfod Jeff a Mared yn caru yn y beudy mawr.

Penodau 8 – 10 (dros y Nadolig a'r Calan)

Ar fore dydd Nadolig mae Robin mewn hwyliau drwg eto. Mae'r boen yn ei stumog sydd wedi bod yn ei boeni ers tro wedi dychwelyd, ac yn y prynhawn, wrth fynd ar drywydd llwynog yn yr eira, mae'n mynd yn sâl wrth i'r dolur stumog fyrstio. Daw Mared o hyd iddo yn anymwybodol ac wedi cyfogi gwaed. Caiff ei ruthro i'r ysbyty am lawdriniaeth frys gan aros yno am tua deg diwrnod. Ar ei noson olaf yn yr ysbyty caiff Robin hunllef yn ymwneud â'r plentyn bach sydd wedi'i gladdu yn y berllan – ei fabi ef a Mared. Er ei fod yn well yn gorfforol, mae'r un hen feddyliau ac atgofion arswydus yn dal i'w boenydio felly.

Cawn wybod trwy ddyddiadur Mared fod *Fo* yn dal i ymddwyn yn rhyfedd ac mae Mared yn credu bod ysbryd Dewyrth Ifan yn dal i aflonyddu arno. Ond mae ganddi bethau eraill ar ei meddwl hefyd. Mae'n amlwg fod ei charwriaeth gyda Jeff yn parhau ac yn awr mae'n dechrau poeni ei bod yn feichiog.

Penodau 11 – 13 (Ionawr – Mawrth)

Am y tair wythnos nesaf mae Robin, ar ôl ei lawdriniaeth, yn gorfod bodloni ar wneud gwaith ysgafn o gwmpas y fferm. Ceir wythnos o rew caled ac yna daw'r eira. Wrth fwydo'r defaid un diwrnod mae Robin yn sylwi bod capel Gilgal – sydd wedi cael ei droi'n dŷ o'r enw 'The Haven' – ar werth. I Robin mae hyn yn arwydd pellach o'r newid sy'n digwydd yn yr ardal ac mae'n ei wylltio. Yn syth wedyn caiff ei atgoffa eto o'r Seisnigo wrth ddod ar draws plant di-Gymraeg yn slejio ar dir Arllechwedd. Mae'n adnabod un o'r plant fel mab Jeff. Yr un diwrnod mae'n darganfod un o'i wartheg yn hanner marw ac un arall wedi marw. Mae hyn yn arwain at ffrae rhwng Robin a Mam, sy'n edliw i Robin ei fod yn ffermwr gwael.

Yn y cyfamser mae Mared hefyd ynghanol ei gofidiau ei hun. Mae wedi syrffedu ar undonedd bywyd yn Arllechwedd heb sôn am y cecru parhaus yn ddiweddar rhwng Robin a Mam. Ond yn fwy na dim mae'n poeni am yr hyn sydd i ddod a hithau'n gwybod i sicrwydd erbyn hyn ei bod yn feichiog. Gan fod Jeff yn dweud nad ef yw'r tad ac yn honni ei fod wedi cael fasectomi, mae Mared, mewn dryswch, yn chwilio am esboniad arall ar ei beichiogrwydd. Gydag ysbryd Dewyrth Ifan yn dal i aflonyddu arni, daw'n fwy a mwy sicr mai ef, rywsut, sydd wedi gwneud iddi feichiogi ac mae'r syniad yn codi arswyd arni. Os mai Dewyrth Ifan yw'r tad, ofn mawr Mared yw y bydd hanes yn ei ailadrodd ei hun ac y bydd hi'n geni erthyl o blentyn – fel y gwnaeth Mam, ar ôl ei pherthynas hithau gyda Dewyrth Ifan, roi genedigaeth i *Fo*.

Parhau y mae'r eira mawr gan arwain at ragor o golledion ar y fferm. Mae un arall o'r gwartheg yn marw yn ogystal â phump o ddefaid, heb sôn am Mic yr hen gi defaid. Cynyddu y mae'r tensiwn rhwng Robin a Mam ac ar un adeg mae Robin yn bygwth Mam gyda phrocer.

Mae Mared yn poeni mwy a mwy, yn isel ei hysbryd ac yn edrych yn wael. Un diwrnod ynghanol mis Mawrth (11 Mawrth), a hithau erbyn hyn yn feichiog ers tri mis, mae'n torri'r newydd i Mam am y babi sydd ar y ffordd. Mae Mam o'i chof ac yn amau'n syth mai Robin yw'r tad, fel o'r blaen. Ond mae Robin ei hun, wrth glywed Mared a Mam yn ffraeo ar dop eu lleisiau, yn neidio i'r casgliad mai Jeff yw'r tad.

Mae hyn yn gwneud Robin yn flin iawn, er nad yw'n trafod y peth gyda neb. Ac mae helyntion eraill i ddod yr un diwrnod. Ar ôl darganfod bod injan ei lori wedi cracio oherwydd y rhew, mae'n cael cyfarfyddiad annisgwyl gyda pherchennog newydd capel Gilgal. Fel y perchennog blaenorol, a fu'n gyfrifol am droi'r capel yn dŷ, Sais yw George Davison. Mae â'i lygad ar ddarn o dir comin lleol fel lleoliad ar gyfer sefydlu ysgol farchogaeth i'w ferch a'i gŵr. Mae Robin yn dweud wrtho'n sarrug nad yw'r tir ar werth (er mai Harri Llwyn-crwn yn hytrach nag ef sydd biau'r tir dan sylw). Yr un diwrnod, sylweddola Robin o'r diwedd beth yw arwyddocâd y gair 'United' yn enw'r cwmni newydd, Lower Ford United Gravel Company, sy'n dal wrthi'n brysur yn Rhyd Isa: mae'r Saeson sy'n byw yn ffermydd Dôl-haidd a Chae'rperson, un bob ochr i'r afon, wedi dod at ei gilydd i ffurfio'r cwmni er mwyn sefydlu busnes newydd yn y Cwm. Mae'r cyfan yn ychwanegu at anniddigrwydd dwfn Robin: y modd y mae'r mewnfudwyr yn trawsnewid yr ardal, y trafferthion ar y fferm, perthynas Mared gyda Jeff a'r ffaith ei bod yn feichiog.

Erbyn diwedd y diwrnod hwn mae Mared yn teimlo rhywfaint yn well gan ei bod wedi dweud wrth Mam am ei chyflwr. Mae'n amlwg fod gan Mam ryw fath o ateb i'r broblem ac mae hynny wedi tawelu ychydig ar feddwl Mared. Yn hwyr y noson honno mae'n penderfynu cael sgwrs efo Robin am y cyfan er mwyn clirio'r aer rhyngddynt ond cyn iddi lwyddo i wneud hynny mae ysbryd Dewyrth Ifan yn ymddangos iddi eto. Y tro hwn mae'r ysbryd fel petai'n ei rhybuddio i beidio â gwneud rhywbeth er nad yw Mared yn siŵr beth.

Penodau 14 – 15 (12 – 13 Mawrth)

Ar ôl datblygiadau mawr y diwrnod uchod (11 Mawrth), disgrifio digwyddiadau'r ddau ddiwrnod dilynol y mae'r ddwy bennod olaf. Mae Mam yn awyddus iawn i gael Robin allan o'r tŷ ac mae yntau'n cytuno, yn anfoddog, i fynd i siopa i'r pentref yn y prynhawn. Yn ystod y bore, wrth iddo wneud ei waith o gwmpas y fferm, mae craith ei lawdriniaeth yn brifo mwy nag erioed ac mae'n dal yn ddig am y modd y mae'r mewnfudwyr yn newid natur a chymeriad yr ardal. Yn fwy na dim mae'n poeni am gyflwr Mared, ac am y baban sydd yn ei chroth, yn enwedig gan ei fod yn amau bod gan Mam fwriad i gael gwared ohono.

Pan mae Robin yn mynd yn ôl i'r tŷ am ei ginio mae Mared yn ei gwely, a Mam yn gwrthod dweud beth sy'n bod arni. Ar orchymyn Mam, mae Robin, dan brotest eto, yn mynd â bwyd i *Fo*, sy'n ymosod yn ffyrnig arno. Mae Robin yn mynd i lawr i'r pentref mewn tymer flin ac yn benderfynol o ddial ar y dyn sydd, yn ei olwg ef, yn gyfrifol am helynt Mared, sef Jeff. Aiff i dafarn Y Bladur i chwilio amdano ac er nad yw Jeff yn y dafarn mae Robin yn aros yno i yfed gyda Harri a dau o'r trigolion lleol eraill. Testun eu sgwrs yw'r mewnfudwyr a chaiff Robin sioc o glywed bod Harri yn ystyried gwerthu Llwyn-crwn i George Davison. Wedi cyrraedd adref, mae Robin yn dychryn o weld pa mor wan a gwelw yw Mared, ond mae Mam yn gwrthod galw doctor.

Y noson honno mae Robin yn mynd allan ac yn rhoi capel Gilgal ar dân. Er bod y weithred yn rhoi rhywfaint o foddhad iddo, nid yw'n dod â thawelwch meddwl; yn wir, mae'n arwain at un arall o'i hunllefau.

Drannoeth mae Mared, sy'n wan iawn erbyn hyn, yn rhoi gorchymyn i Robin losgi ei dyddiaduron i gyd. Mae Robin yn treulio gweddill y bore yn y sgubor sinc yn darllen y dyddiaduron. O'r diwedd mae Mam yn gofyn i Robin fynd i nôl doctor at Mared ac mae yntau ar fin mynd pan mae'r heddlu'n cyrraedd i'w holi am y tân yng nghapel Gilgal. Mae Robin yn gwadu popeth. Ynghanol hyn i gyd mae'r doctor o'r pentref yn cyrraedd i weld Mared ond yn rhy hwyr – mae hi wedi marw. Yn ei sioc a'i alar mae Robin yn mynd i'r sgubor sinc i gyflawni dymuniad olaf ei chwaer, sef llosgi'r dyddiaduron. Yna mae'r heddlu'n dychwelyd er mwyn mynd â Robin i orsaf yr heddlu i'w holi ymhellach am y tân. Ond wrth chwilio amdano yn y sgubor maent yn dod o hyd i'w gorff. Mae wedi ei grogi ei hun.

Does neb ar ôl yn Arllechwedd bellach ond Mam, sy'n synfyfyrio o flaen y tân ac yn siarad gyda Dewyrth Ifan, a *Fo*, sy'n dal i ddolefain yn y llofft stabl. Mae'r nofel yn dod i ben gyda Harri Llwyn-crwn a George Davison yn sefyll o flaen cragen capel Gilgal yn gwylio'r hers sy'n cario cyrff Robin a Mared yn gadael y Cwm, y tu ôl i gar heddlu.

11. Dyfyniadau pwysig

1. Ti, ddyddiadur bach, yw fy nihangfa i ac mae 'nyled am hynny i Miss Ellis fach yn yr ysgol 'slawer dydd am fy siarsio i'th gadw'n gronicl. Roedd Robin yntau, er yn hŷn, yn yr un dosbarth ond go brin … Fi oedd ei ffefryn hi. 'Deunydd llenor,' dyna'i geiriau; ac rwy'n cofio pob gair! 'Mynegiant graenus, geirfa gyfoethog, arddull dda … Mae cadw dyddiadur yn ymafer cynildeb; meistroli'r defnydd o'r person cyntaf; yn gyfle i gofnodi'r meddyliau mwyaf personol a'r cyfrinachau i gyd.' Y cyfrinachau i gyd! A chefaist tithau sylw deddfol byth oddi ar hynny … Mae'r dyddiau pell hynny wedi mynd yn bethau annelwig iawn yn niwl y blynyddoedd ond does raid imi ond troi dy ddalennau i ail-fyw'r cyfan. Ond wna i mo hynny! Wna i byth mo hynny! A chaiff neb arall chwaith! (t.19)

Mae dyddiadur Mared yn greiddiol i'r nofel, fel ffordd o ddadlennu gwybodaeth, fel modd o symud y stori yn ei blaen ac fel allwedd i bersonoliaeth Mared. Mae'r dyfyniad hwn, lle mae Mared yn cyfarch ei dyddiadur, yn crisialu un o nodweddion pwysicaf bywyd yn Arllechwedd, sef cyfrinachedd (gw. Prif themâu'r nofel). Trwy gyfrwng ei dyddiadur gall Mared fynegi pethau nad ydynt yn cael eu trafod ganddynt fel teulu, am ddigwyddiadau tywyll y gorffennol. Ac mae ei llw nad yw'n bwriadu darllen y dyddiadur fyth, na gadael i neb arall wneud hynny, yn cyd-fynd gydag athroniaeth gyffredinol Mam mai claddu'r gorffennol o'r golwg sydd orau. Erbyn diwedd y nofel mae'r llw hwn yn ymddangos yn eironig wrth i un dudalen o'r dyddiadur – sef yr un olaf i Mared ei hysgrifennu, y noson cyn iddi farw – fynd i ddwylo'r heddlu. Trwy hyn awgrymir y tebygolrwydd y daw amgylchiadau marwolaeth Mared i'r amlwg cyn bo hir.

* * *

2. Wrth iddo adael i'w lygaid grwydro dros y tir o bobtu'r afon, daeth iddo [sef Robin] deimlad yr oedd yn hen gynefin ag ef; y teimlad o berthyn i'r tir hwn ac i'r lle arbennig hwn. Nid teimlad o berchnogaeth mohono. Pe bai ynddo'r gallu i ymresymu'n ddwys mi fyddai Robin wedi ceisio meddwl pam yr ymlyniad at erwau oedd mor foel a dilewyrch; a byddai wedi sylweddoli bod ei wreiddiau mor ddwfn yn naear garegog y llechweddau hyn oherwydd mai hi oedd swm a sylwedd ei fywyd a bod pob mangre arall yn llawn dieithrwch ac ansicrwydd iddo: y Graig Wen, y Graig Goch a'r Grawcallt oedd ei derfynau ac fel pob hen ddafad fe fodlonai ar wneud y gorau o'r gwaethaf o'i gynefin. Bodlonai ar fod yn anfodlon. A phwy bynnag neu beth bynnag a ddeuai i fygwth ei ddiogelwch, i newid mewn unrhyw fodd y patrwm oedd mor gyfarwydd iddo ac yr oedd ef mor ddibynnol arno, yna, fel Mic ar y buarth neu unrhyw hen gi gwerth ei halen, mi fyddai Robin hefyd yn coethi ac yn dangos ei ddannedd, heb ddeall yn iawn pam. (t.69)

Mae'r darn uchod o'r nofel yn grynhoad perffaith o bersonoliaeth Robin. Creadur sy'n gweithredu yn ôl ei reddfau yn hytrach nag yn ôl ei reswm ydyw. Yr hyn sy'n cael ei ddisgrifio uchod yw natur ei berthynas gyda'i amgylchfyd daearyddol, hynny yw tir Arllechwedd a gweddill y Cwm. Mae'n briodol iawn fod yr awdur, er mwyn cyfleu'r berthynas honno, yn defnyddio dwy gymhariaeth o fyd ffermio. Yn gyntaf mae'n cymharu Robin gyda dafad sy'n gwneud y gorau o'r borfa brin ar dir mynyddig, gwael fel y tir o amgylch Arllechwedd. Yn ail, mae'n ei gymharu gyda chi defaid yn y ffordd chwyrn y mae'n ymateb i unrhyw newid. Mae Robin yn synhwyro bod ei fyd ar fin newid yn sgil dyfodiad mewnfudwyr i'r ardal. Y teimlad hwn o weld ei gynefin ei hun yn mynd yn lle dieithr iddo sy'n ei arwain yn y pen draw i roi capel Gilgal ar dân.

* * *

3. Methu anghofio clebar pobol dafodrydd pan oedden ni'n ifanc y mae Robin. Anodd gen innau anghofio hefyd, yn enwedig ambell hen ensyniad hyll, ond fydda i ddim yn corddi cymaint â fo. Er enghraifft, mi fedraf weld mor glir â phe bai wedi digwydd heddiw y ddau ohonom yn mynd i'r Band o' Hope yn Gilgal 'slawer dydd. Does bosib bod Robin yn fwy na rhyw naw oed ar y pryd, minnau felly'n wyth. Yr hen sinach Isaac Thomas Ty'n-bryn, pen blaenor, yn llenwi'r drws o'n blaen fel pe bai am wrthod mynediad. 'Mae'r annaturiol yn creu'r annaturiol,' medda fo trwy'i ffroenau uchel, 'a phechod yn dwyn ei ddial ei hun. Cymdeithion mynwesol ydi llosgach a gorffwylledd.' Pwy bynnag oedd ei gynulleidfa ar y pryd, ni'n dau oedd testun ei sgwrs.

Fe seriwyd ei eiriau diystyr ar fy meddwl ifanc mor rhwydd ag y glynai ambell adnod. Mae Robin yn cofio hefyd, rwy'n gwybod. Erbyn heddiw mae arwyddocâd y geiriau yn fyw iawn imi. Dyma pam y pryder o weld yr olwg yn llygaid Robin weithiau. Mae'n gallu f'atgoffa am *Fo*. Dyna pam hefyd y gallaf ryw lun o werthfawrogi penderfyniad digyfaddawd Mam bymtheng mlynedd yn ôl – ond mater arall yw medru maddau! (tt.28–9)

Darn arall o ddyddiadur Mared yw hwn, yn disgrifio un atgof o'i phlentyndod, golygfa sy'n fyw iawn yn ei chof hi a Robin. Mae'r darn yn dangos bod llawer o sôn a siarad yn yr ardal am deulu Arllechwedd a bod ambell un fel Isaac Thomas yn barod iawn i gondemnio'r teulu ar sail yr honiadau. Cyfeirio at y gred fod Robin a Mared yn gynnyrch llosgach y mae'r blaenor ac mae'n ymddangos ei fod hefyd yn ymwybodol o fodolaeth *Fo*. Mae ei rybudd fod pechod yn dwyn ei ddial ei hun fel petai'n rhagfynegi'r dyfodol hefyd; yn nes ymlaen yn y nofel cawn wybod mai "penderfyniad digyfaddawd Mam bymtheng mlynedd yn ôl" oedd cael gwared â baban Mared a Robin a oedd hefyd yn gynnyrch llosgach. Maes o law, yn sgil ei beichiogrwydd, bydd Mared yn gorfod wynebu eto y cysylltiad rhwng llosgach a gwallgofrwydd, a hithau'n credu mai Dewyrth Ifan yw tad ei phlentyn y tro hwn. Felly mae Isaac Thomas, gyda'i eiriau ciaidd, yn rhoi ei fys ar un o ofnau mawr teulu Arllechwedd.

* * *

4. Dyna pryd y clywyd sŵn car yn sgathru ar wyneb y buarth a heb guro na dim cerddodd yr hen Barri Bach i mewn i'r gegin. Bu'n meddyginiaethu yn yr ardal ers deugain mlynedd bron, eto i gyd, dyma'r eildro erioed iddo gael ei alw i Arllechwedd, y tro cyntaf bedwar mis yn ôl pa fu bron i Robin-Dewyrth-Ifan 'fynd i ffordd yr holl ddaear', chwedl Evan Thomas y ficar. Ond er lleied ei ymwneud â'r teulu, fe glywsai'r doctor lawer stori amdanyn nhw dros y blynyddoedd – am hen ewythr oedd hefyd yn gywely a thad, am forwyn ifanc, flynyddoedd yn ôl, a roddodd enedigaeth ei hun i'w dau blentyn, am drydydd plentyn efallai na welodd erioed olau dydd, am ferch a fu'n cario am fisoedd ac a esgorodd ar ddim! Clebar cefn gwlad mae'n siŵr, ond doedd dim mwg heb dân chwaith. (t.139)

Mewn nofel sy'n cael ei hadrodd bron yn gyfan gwbl o safbwynt dau o'r prif gymeriadau eu hunain, sef Mared a Robin, mae'r dyfyniad uchod, sy'n digwydd tua diwedd y nofel, yn bwysig fel enghraifft brin o safbwynt rhywun o'r tu allan i deulu Arllechwedd. Parri Bach yw'r doctor sydd newydd gael ei alw i'r fferm i weld Mared, sy'n wael iawn erbyn hyn. Mae ymweliad Parri Bach yn gyfrwng i'r awdur grynhoi'r gwahanol sïon sydd wedi bod yn mynd o gwmpas yr ardal ers blynyddoedd ynghylch y teulu a'i hanes o losgach. Mae brawddeg olaf y dyfyniad yn cyfleu ymateb Parri Bach i'r straeon hyn – does ganddo ddim prawf fod y straeon yn wir ac eto mae'n tybio y gallai fod rhyw wirionedd ynddynt. Gallwn ddyfalu mai tebyg yw agwedd y rhan fwyaf o'r trigolion lleol at yr ensyniadau er y gwyddom fod ambell un, fel y pen blaenor Isaac Thomas, wedi bod yn llawer mwy parod i gredu'r straeon a chondemnio'r teulu ar sail hynny. (t.28)

* * *

5. "Byw ar ein hofnau yr ydyn ni i gyd yma!" (t.113)

Geiriau Mared yw'r rhain, yn dilyn un o ymddangosiadau ysbryd Dewyrth Ifan. Yn sicr mae'r ysbryd yn codi ofn ar Mared, ond mae'r sylw hefyd yn ddisgrifiad da o un o nodweddion cyffredinol bywyd yn Arllechwedd. Ofn yw un o'r emosiynau mwyaf pwerus yn y nofel, yn llywio bywydau'r cymeriadau ac yn eu harwain at benderfyniadau mawr. Bodolaeth *Fo* sy'n gyfrifol am lawer o'r ofn. Mae'n codi arswyd ar Mam a Robin, ac er bod Mared yn fodlon bwydo *Fo*, mae'r syniad y gallai hi roi genedigaeth i greadur tebyg yn codi ofn arni. I Mam a Mared, mae'r syniad o fynd yn wallgof eu hunain hefyd yn ofn cyson (gw. Prif themâu'r nofel: Gwallgofrwydd). Ac wrth wynebu'r posibilrwydd o garchar, arswyd y syniad o dreulio blynyddoedd mewn caethiwed, fel *Fo*, sy'n arwain Robin at hunanladdiad.

12. Cwestiynau arholiad

Cwestiwn 1

Darllenwch y darn o'r nofel. Yna atebwch y cwestiynau sy'n dilyn yn llawn a gofalus gan ddyfynnu'n bwrpasol. (Ystyriwch y marciau a roddir am bob cwestiwn.)

Llusgai'r min nos. Treuliai Mam ei hamser gyda Mared gan adael Robin yn y gegin i ail-fyw gofidiau'r dydd. Hyd nes iddo fethu â dal yn hwy. Ar fympwy, cododd a mynd allan i'r tywyllwch.

Roedd y glaw wedi peidio ond arhosai llond awyr o gymylau duon. I ble? Does dim i'w gael o fynd i'r berllan. Llai byth o aros ar y buarth yn gwrando ar fwmian parhaus y llofft stabal.

Anodd dweud pryd yn union y daeth y syniad iddo. Yn chwarae yn ei ben er y pnawn o bosib ond gynted ag y crisialodd yn ei feddwl doedd dim amheuaeth wedyn. Dyna'r ffordd! Yr unig ffordd! A fyddai neb ddim callach.

Gwynder y lluwchfeydd trwm oedd ei gerrig milltir yn y tywyllwch.

Yng ngolau'r fatsien gwyddai am beth i chwilio yn y beudy isa, a gwyddai eu bod yno – côt a fu'n hongian ar hoelen yn y wal ers mwy o flynyddoedd nag y gallai Robin ei gofio, a hen fwced.

Caeodd y drws yn ofalus ar ei ôl ac aeth at y lori. Yma'r oedd ei broblem. Sut i gael y petrol o danc y lori ac i'r bwced. Pe bai ganddo beipen gallai ei sugno drwodd ond ofer oedd meddwl gwneud hynny.

Yn lled-ddamweiniol y daeth gweledigaeth. Roedd wedi penderfynu rhwygo'r gôt yn strimyn hir a gollwng un pen i lawr i'r tanc i'w drochi yn y petrol. Yna, gallai drochi'r pen arall yn yr un modd, gan obeithio y gwnâi hynny'r tro. Ymhen hir a hwyr, sylweddolodd meddwl araf Robin y gellid gwagu'r petrol i'r bwced a throchi'r brethyn drosodd a throsodd. Gwenodd yn ddieflig yn y tywyllwch, er gwaetha'r llid yn ei arddwrn ac oerni'r tanwydd ar ei ddwylo. Cyn hir, roedd y bwced yn hanner llawn a brethyn y gôt yn socian ynddo.

Roedd y gwynt yn dal o gyfeiriad y Grawcallt a chrynai Robin yn ei ddillad gwlyb wrth ddilyn yr afon i fyny'r ddôl. Doedd y tywyllwch dudew fawr o rwystr iddo ac yntau'n nabod pob man fel cefn ei law.

Gynted ag y gwyddai ei fod gyferbyn a Gilgal ni phetrusodd. Camodd yn syth i'r dŵr a theimlo hwnnw'n codi'n rhewllyd at ei gluniau. Cadw cydbwysedd yn erbyn grym y lli oedd y peth anodda, ac unwaith, yn ei ffwdan, bu am y dim iddo golli'i draed ac yn waeth na hynny golli'i afael ar y bwced. Gwnaeth ei orau i ddiystyru'r boen arteithiol oedd yn saethu unwaith eto drwy'i graith wrth iddo ymestyn.

Bydd yn wrol, paid â llithro,

Er mor dywyll yw y daith.

Bron na allai glywed yr harmoniam fach yn llusgo tu ôl i ganu dienaid y Cwarfod Plant 'slawer dydd.

Ar y lan bellaf oedodd yn ddigon hir i bwysau mwya'r dŵr lifo o'i drowsus ac i wrando am unrhyw synau dieithr. Ac eithrio rhuthr yr afon doedd dim ond cri gylfinir pell i'w chlywed yn aneglur ar y gwynt. Teimlodd ei ffordd yn ofalus at gefn y capel bach oedd bellach yn dŷ. Byddai rhaid gweithio'n gyflym. Trochodd ei ddwylo yn y bwced ac aeth ati i rwygo'r strimyn gweddill o gôt oedd yno yn dri darn llai. Erbyn iddo orffen, prin y gallai deimlo'i fysedd yng ngwynt y nos.

Roedd pobman fel y bedd.

Gan osgoi'r lluwchfeydd oedd eto'n drwch ar wal ddwyreiniol yr adeilad, aeth Robin yn ofalus ond trwsgl yn y tywyllwch at y giât fechan a wynebai'r ffordd. Er na allai weld y giât hyd yn oed fe wyddai'n union be oedd y tu ôl iddi. Onid yn y drws hwn, rywle o'i flaen, y safodd Isaac Thomas Ty'n-bryn ers talwm, gyda'r dirmyg hwnnw ar ei wep? Ac onid oedd wedi sôn rhywbeth am losgi? *Llosg* rhwbath beth bynnag! Gwenodd Robin yn y dyb fod yno eironi yn rhywle. (tt.125–7)

(a) Trafodwch **ddwy** olygfa o'r nofel lle ceir gwrthdaro a nodwch beth yw effaith y
   gwrthdaro ar blot y nofel.   [10 x 2]

(b) Sut mae'r awdur yn cyfleu teimladau a meddyliau Robin yn y darn?   [10]

(c) Ysgrifennwch **adroddiad papur newydd** yn adrodd hanes llosgi capel Gilgal,
   yr heddlu yn dod i holi Robin a'r digwyddiadau sy'n dilyn hynny.   [10]

Prif bwyntiau i'w cynnwys wrth ateb:

(a) Gellir cyfeirio at olygfeydd fel y rhai isod:

- Robin a gyrrwr lori'r cwmni graean newydd – Robin yn gorymateb i sefyllfa ddigon
  diniwed am fod y Sais, iddo ef, yn cynrychioli newid mawr yn yr ardal.
  Effaith ar y plot – rhoi Robin mewn hwyliau drwg – gweld Mared a Jeff yn caru'n
  syth wedyn yn ei wylltio ymhellach – y ddau beth yn cynyddu'r tensiwn rhwng
  Robin a'r Saeson a rhwng Robin a Mared – cynnal thema dirywiad yn y Cwm.

- Robin a George Davison – y Sais am brynu tir, Robin yn gwrthwynebu (er nad ef
  sydd biau'r tir).
  Effaith ar y plot – ychwanegu at anniddigrwydd cyffredinol Robin ac yn un o'r
  pethau sy'n ei sbarduno i losgi capel Gilgal – cynnal thema dirywiad yn y Cwm.

- Mam a Robin – y tensiwn cynyddol rhyngddynt yn nhraean olaf y nofel yn dilyn y
  colledion ar y fferm – "mis o gecru diddiwedd" (t.101) – arwain at Robin yn bygwth
  ei fam gyda phrocer.
  Effaith ar y plot – cynyddu rhwystredigaeth gyffredinol Robin gan ei arwain at
  dorcyfraith – ddim yn gallu delio gyda'i deimladau na herio'i fam yn iawn ac felly'n
  ymateb mewn ffordd arall.

- Mared a Mam – yn dilyn datgeliad Mared ei bod yn feichiog.
  Effaith ar y plot – arwain at ymdrech Mam i roi erthyliad i Mared ac felly'n arwain at farwolaeth Mared – hynny yn ei dro'n arwain at hunanladdiad Robin.

- Mam a'r awdurdodau ar ddiwedd y nofel – gwrthod cydweithredu gyda'r heddlu sy'n dod i holi Robin yn dilyn llosgi'r capel – yna dweud rhagor o gelwyddau wrth y meddyg am gyflwr Mared cyn iddi farw.
  Effaith ar y plot – y digwyddiadau mawr drosodd erbyn hyn ond hyn yn dangos Mam yn glynu hyd y diwedd at ei hathroniaeth fawr fod yn rhaid celu'r gwir – cynnal thema cyfrinachedd.

(b) Gellir sôn am nodweddion megis:

- naws ymsonol y darn ar ei hyd, gydag atgofion plentyndod Robin am gapel Gilgal yn gymysg gyda'i feddyliau am y presennol
- brawddegau byr, yn enwedig ar ddechrau'r darn i gyfleu sut y mae Robin yn dod i benderfyniad sydyn i weithredu
- cyferbyniad rhwng y penderfyniad sydyn uchod, a'r angen i weithredu'n gyflym, ar un llaw, a natur araf a lletchwith Robin ar y llall, e.e. mae'n araf yn sylweddoli sut i gael y petrol o danc y lori i'r bwced; yn "ofalus ond trwsgl" wrth gerdded yn y tywyllwch at y capel
- disgrifiadau sy'n apelio at y synhwyrau – e.e. y cyferbyniad gweledol rhwng gwynder yr eira a thywyllwch y nos; synau fel sŵn *Fo* o'r llofft stabl, sŵn yr afon a chri'r gylfinir; teimlad – e.e. y boen yng ngarddwrn Robin, oerni'r tanwydd ar ei ddwylo, oerni dŵr yr afon wrth iddo gerdded drwyddo
- disgrifiadau o'r tywydd er mwyn creu awyrgylch, e.e. "llond awyr o gymylau duon", y gwynt yn gwneud i Robin grynu yn ei ddillad gwlyb
- ansoddeiriau effeithiol –"dieflig" i ddisgrifio gwên Robin wrth sylweddoli sut i gael gafael ar y petrol; "dudew" i ddisgrifio tywyllwch y nos
- trosiadau, e.e. i gyfleu taith Robin drwy'r nos – "Gwynder y lluwchfeydd oedd ei gerrig milltir yn y tywyllwch", ac i ddisgrifio'r boen sy'n "saethu" drwy ei graith

- myfyrdod Robin ar y diwedd ar y gair "llosgi" yn arwyddocaol – cofio Isaac Thomas yn defnyddio gair tebyg [llosgach] wrth gondemnio'r teulu – y ffaith nad yw'n gwybod y gair "llosgach" yn awgrymu nad yw Robin yn deall bod perthynas rywiol rhwng perthnasau'n beth annaturiol ac yn dabŵ cymdeithasol.

(c) Gellir sôn am bwyntiau fel y canlynol:

- maint y difrod i'r capel
- ychydig o hanes y capel, h.y. wedi cau fel addoldy, wedi ei droi'n dŷ a bellach yn eiddo i George Davison
- sut yr aeth yr heddlu ar drywydd Robin – gweld olion traed
- galw'r meddyg i Arllechwedd yr un pryd â'r darganfyddiad fod Mared wedi marw
- sut y gwnaeth yr heddlu ddarganfod corff Robin
- mynd â chyrff Mared a Robin i ffwrdd am bost mortem
- ymateb Harri Llwyn-crwn
- ymateb George Davison.

* * *

Cwestiwn 2:

Darllenwch y darn o'r nofel. Yna atebwch y cwestiynau sy'n dilyn yn llawn a gofalus gan ddyfynnu'n bwrpasol. (Ystyriwch y marciau a roddir am bob cwestiwn.)

Celu a chelu ei phryder a wnâi Mared o ddydd i ddydd, rhag ychwanegu at yr holl annifyrrwch ar yr aelwyd. Ond roedd gohirio'r annymunol cyhyd ynddo'i hun yn ychwanegu'n ddiangen at bryder oedd eisoes wedi mynd â'r holl liw o'i gruddiau a rhoi cleisiau duon o dan ei llygaid. Roedd y croen o boptu'i thrwyn wedi tynhau a'i hwyneb yn feinach nag y bu. Wrth y bwrdd ni wnâi fwy na phigo'r bwyd oddi ar ei phlât.

Daeth pethau i ben un bore Llun, yr unfed ar ddeg o Fawrth, ar ôl Sul o bendroni ac atgofio, o ddychmygu ac arswydo. Dyna ddrwg dydd Sul, roedd yn ddiwrnod mor swrth a'i oriau'n llusgo.

Roedd y penderfyniad wedi'i ffurfio'n derfynol yn ystod oriau effro'r nos a phan ddaeth Mared allan i ben y grisiau cerrig drannoeth gyda'r ychydig lestri budron yn ei dwylo a gweld Mam yn cymell yr ieir i bigo ar glwt di-eira o'r buarth, dyma ymwroli. Roedd Robin yn siŵr o fod yn ddigon pell o'u clyw.

'Tri mis? Tri mis ddeudist ti?'

Eiliadau o syllu anghrediniol a'r ferch, o'r diwedd, yn gostwng ei golygon yn gyndyn euog.

'Tri mis? Lle uffar wyt ti 'di bod na fasat ti 'di deud wrtha i'n gynt?'

'Peidiwch â gweiddi Mam.' Llais tawel, edifeiriol. 'Pa wahaniaeth pe bawn i wedi deud ynghynt?' Roedd tri blewyn y ddafaden yn plycio'n ffyrnig.

'Gwahaniaeth, ddeudist ti? Pa wahaniaeth? Fedri di ofyn cwestiwn mor dwp?' Yn hytrach na gostwng ei llais roedd hi'n gweiddi mwy. 'Yli, anodd fydd petha rŵan!'

Teimlodd Mared beth o'r euogrwydd yn ei gadael wrth deimlo'r angen i'w hamddiffyn ei hun.

'Wel, deudwch y gwir. Fasa fo wedi gneud rhywfaint o wahaniaeth? Fis, dau fis yn ôl, gwylltio fel hyn fasach chi wedi'i neud 'run fath yn union, fel pe baech chi'ch hun yn gwbwl ddihalog.'

'Paid ti â chodi dy lais ata i, yr hoedan fach! Nac edliw! Na defnyddio dy eiria ffansi chwaith. Ti'n gwbod be 'di dy wendid di wedi bod erioed, yn dwyt?' Roedd ei llais wedi codi'n sgrech bron. 'Rhy barod i ledu dy goesa'r butan fach!'

Ffrwydrodd Mared hefyd. 'Peidiwch chi â 'ngalw i'n butan.'

'Be arall wyt ti ond hwran? Sgin ti syniad pwy ydi'r tad! Nag oes ma'n siŵr.'

'Putan? Hwran? Pwy uffar 'dach chi i siarad ac i daflu'ch bustul?'

Daeth sŵn drws y llofft stabal yn cael ei ysgwyd a chododd ton o grochlefain dig ond roedd y ddwy yn fyddar iddo.

'A 'dach chi'n gofyn pwy ydi'r tad? Wel, hwyrach y bydd raid i 'mhlentyn inna alw'i dad yn Dewyrth ne rwbath felly hefyd!'

'Gan bwyll, y gnawas!' Roedd llygaid yr hen wraig yn melltennu a'i cheg yn glafoerio. 'Mesur dy eira'n well! Pwy ydi o?' Ac yna'n ddistawach, yn fwy petrus, 'Yr un un ag o'r blaen?'

Chwarddodd Mared yn wawdlyd. 'Mi fasach chi'n licio gwbod yn basach?'

'Atab fi'r munud 'ma! Ydi o'n perthyn iti?'

Roedd y drws uwch eu pennau'n cael ei ysgwyd yn lloerig a'r crochlefain wedi troi'n un waedd ofidus, hir. Sobrodd Mared drwyddi a gostyngodd ei llais.

'Yn perthyn imi? Falla'i fod o. Falla'n wir 'i fod o.'

Ni chlywodd Robin ymateb olaf ei chwaer ond bu yno wrth dalcen cwt y tractor yn ddigon hir i ddeall beth oedd yn digwydd. Gwelodd ei fam yn brasgamu'n ffyrnig yn ôl i'r tŷ a Mared yn llusgo'i thraed ar ei hôl.

'Y Sais uffar!' sgyrnygodd, a chryndod ei dymer, yn gymysg ag oerni'n meirioli, yn rhedeg drosto. 'Aros di i mi gael gafal arnat ti.'

(tt.101-3)

(a) (i) Crynhowch ymwneud Mared gyda dynion, yn y gorffennol a'r presennol, ac yna (ii) trafodwch pam y mae hi wedi penderfynu dweud wrth ei mam ei bod yn feichiog. [10 x 2]

(b) Sut mae'r awdur yn cyfleu teimladau cryf Mam a Mared ac yn creu tyndra yn y darn? [10]

(c) Dychmygwch fod Mam (fel Mared) yn cadw dyddiadur a lluniwch ddau ddarn o ddyddiadur ar ei chyfer yn sôn am ddigwyddiadau dau ddiwrnod gwahanol (ar wahân i'r darn a ddyfynnir) er mwyn cyfleu ei hymateb iddynt. Dylech seilio'r darn ar wybodaeth sy'n cael ei rhoi neu ei hawgrymu yn y nofel ar ymateb Mam i'r digwyddiadau hyn. Mae lle hefyd i chi ddefnyddio eich dychymyg er mwyn llenwi'r darlun. (Nid oes gwahaniaeth pa ddyddiad a rowch uwchben y darn – rhowch unrhyw ddyddiad yn y gaeaf.) [10]

Prif bwyntiau i'w cynnwys wrth ateb:

(a) (i) Dylid sôn am berthynas Mared gyda gwahanol ddynion, fel a ganlyn:

- Robin – gorffennol – wedi arwain at eni plentyn a gafodd wedyn ei ladd gan Robin ar orchymyn Mam – atyniad corfforol rhwng y ddau o hyd, yn enwedig Robin tuag at Mared
- Harri Llwyn-crwn – gorffennol – y berthynas wedi dod i ben oherwydd ymyriad Mam a'r perygl i Harri ddod i wybod gormod o hanes y teulu; ond teimladau ganddynt at ei gilydd o hyd
- Jeff – gorffennol diweddar – Mared, yn ei hunigrwydd, wedi neidio ar y cyfle am garwriaeth newydd er nad yw Jeff yn gymar addas gan ei fod yn briod a phlant ganddo
- Dewyrth Ifan – presennol – Mared wedi gweld ei ysbryd nifer o weithiau ac yn honni ei fod wedi dod ati i'r gwely unwaith.

(ii) Dylid esbonio ofnau Mared am y beichogrwydd, fel y'u datgelir yn ei dyddiadur (yn enwedig ar 4 a 5 Chwefror), gan gynnwys y pwyntiau a ganlyn:

- Jeff wedi dweud wrthi ei fod wedi cael fasectomi ac felly nad yw'n bosibl mai ef yw tad ei babi
- hyn wedi arwain Mared i feddwl mai Dewyrth Ifan yw'r tad
- Mared wedi gweld sut mae perthynas losgachol (Mam a Dewyrth Ifan) yn gallu arwain at genhedlu plentyn â nam arno – *Fo* – ac ofn rhoi genedigaeth i blentyn tebyg ei hun
- poeni hefyd fod gwallgofrwydd yn gallu rhedeg mewn teulu
- Mared a Robin wedi cael plentyn iach er eu bod yn perthyn ond Mared yn deall pam y cafodd Mam wared arno (gwarth cymdeithasol)
- Mared 15 mlynedd yn hŷn y tro yma ac yn poeni y gall hynny hefyd arwain at eni plentyn â nam arno.

(b) Gellir sôn am nodweddion megis:
- yr olygfa gyfan yn ddarn o ysgrifennu meistrolgar sy'n cyfleu hen ddrwgdeimlad yn ffrwydro i'r wyneb mewn cyhuddiadau mawr
- gosod y llwyfan yn ofalus ar gyfer datgeliad Mared ei bod yn feichiog – pwysleisio ei phryder trwy ddisgrifio pa mor wael y mae'n edrych a ddim yn bwyta'n iawn; ailadrodd geiriau er mwyn pwysleisio sut y bu'n troi pethau yn ei meddwl ers dyddiau: "Celu a chelu ei phryder a wnâi Mared o ddydd i ddydd"; hefyd ailadrodd geiriau tebyg o ran ystyr – "Sul o bendroni ac atgofio, o ddychmygu ac arswydo" – yn crynhoi'r modd y mae profiadau'r gorffennol a'r presennol (lladd baban Mared a Robin, presenoldeb *Fo* yn y llofft stabl) yn chwarae ar ei meddwl tra mae "arswydo" yn cyfleu ei hofn o'r dyfodol
- ar ôl y disgrifio uchod yr ymadrodd cryno a phendant "dyma ymwroli" yn cyfleu Mared yn gweld ei chyfle o'r diwedd i ddweud y newydd wrth Mam
- dechrau'r ddeialog rhwng Mam a Mared gyda chwestiwn Mam, "Tri mis? Tri mis ddeudaist ti?" – gwell na dechrau gyda Mared yn torri'r newydd am ei beichiogrwydd gan y byddai hyn yn ailadrodd hen wybodaeth yn ddiangen

- tôn a momentwm y ffrae yn cael eu hamrywio'n effeithiol – cyferbyniad rhwng gweiddi Mam ac ymdrech Mared i gadw'r sgwrs yn dawel a rhesymol ond yna pethau'n poethi wrth i lais Mam fynd bron yn "sgrech" ac wrth i Mared hithau golli ei thymer; tawelu at y diwedd (gw. y pwynt isod am sŵn *Fo*)
- defnydd Mam o eiriau cryf, cras yn cyfleu ei thymer – "hoedan", "putan", "hwran", "gnawas"
- sŵn *Fo* yn ysgwyd drws y llofft stabl ac yn crochlefain yn gyfeiliant iasol i'r cyfan – Mam a Mared, ynghanol eu ffraeo, ddim yn ei glywed i ddechrau ond wrth i'r sŵn gynyddu mae Mared yn sylwi arno ac mae'n gwneud iddi sobri a thawelu; y sŵn fel petai'n ei hatgoffa am arswyd ei sefyllfa, h.y. y posibilrwydd mai Dewyrth Ifan yw'r tad ac y bydd hithau hefyd, fel Mam, yn rhoi genedigaeth i greadur fel *Fo* (gw. ei geiriau olaf)
- disgrifiadau graffig, e.e. "tri blewyn y ddafaden yn plycio'n ffyrnig" i gyfleu cynnwrf Mared
- trosiadau, e.e. "cleisiau duon" i gyfleu diffyg cwsg Mared; "rhy barod i ledu dy goesa'r butan fach" i gyfleu barn gondemniol Mam am natur nwydwyllt Mared; "ffrwydrodd Mared" i gyfleu ymateb anghrediniol Mam i hyn; "llygaid yr hen wraig yn melltennu" i gyfleu tymer Mam; "sgyrnygodd" – trosiad arall effeithiol i gyfleu dicter Robin at Jeff, yn gydnaws gyda'r portread o Robin fel rhywun sy'n ymateb a gweithredu yn ôl greddfau cyntefig, fel anifail (mae'n cael ei gymharu i gi mewn rhan arall o'r nofel; gw. Dyfyniadau Pwysig, rhif 2)
- eironi – er bod Mared yn tybio bod Robin yn ddigon pell i beidio clywed y ffrae, cawn wybod ar y diwedd ei fod wedi clywed y cyfan, bron, o'i guddfan wrth dalcen cwt y tractor; eironi pellach y ffaith nad yw'n clywed geiriau olaf Mared (yr awgrym mai Dewyrth Ifan yw'r tad) ac felly'n neidio i'r casgliad mai Jeff yw'r tad.

(c) Gallech ddewis dyddiau sy'n bwysig o safbwynt y plot neu o ran datgelu gwybodaeth, e.e.:

diwrnod ymweliad Harri Llwyn-crwn:

- Mam yn cofnodi'r ymweliad; egluro ei fod yn hen gariad i Mared ond nad oedd dim croeso iddo yn Arllechwedd gan ei fod ym marn Mam yn gwybod gormod am hanes y teulu – ddim eisiau gweld eu perthynas yn ailddechrau

- croesawu newyddion Harri fod ffair Hirfryn wedi dirywio oherwydd nid yw am weld pobl yn cymdeithasu; gwell i bawb aros adref fel teulu Arllechwedd a pheidio busnesu ym mywydau ei gilydd – Mam eisiau cadw Mared a Robin ar wahân i weddill y gymdeithas er eu lles nhw eu hunain (h.y. rhag i bawb ddod i wybod hanes y teulu).

diwrnod mynd â Robin i'r ysbyty:

- disgrifio ymdrechion Mared i ddathlu'r Nadolig; Mam yn dirmygu hyn – gallai ofyn beth sydd ganddynt fel teulu i'w ddathlu

- Robin yn mynd allan ar drywydd y llwynog

- Mared yn dod o hyd iddo ar lawr yn yr eira, wedi cyfogi gwaed

- Mared yn galw ambiwlans – Mam wedi rhoi'r bai am gyflwr Robin ar y pwdin Nadolig ond efallai'n poeni mwy amdano nag y mae'n ei ddangos

- rhwystro Mared rhag mynd i lawr i'r pentref i ffonio'r ysbyty i weld sut aeth y llawdriniaeth – efallai am nad yw eisiau i Mared grwydro o Arllechwedd (?)

diwrnod erthyliad Mared:

- Mam yn cofnodi'r diwrnod

- dadansoddi pam roedd rhaid cael gwared o'r babi yn ei barn hi

- fel y gwnaeth hi anfon Robin i ffwrdd am y prynhawn trwy esgus fod angen ychydig o fwyd a nwyddau ac fel yr oedd Robin yn gyndyn o fynd ond wedi mynd yn y diwedd – rhyddhad Mam

- erthyliad – rhywbeth yn mynd o'i le

- fel y mynnodd Robin fynd i weld Mared yn ei gwely y noson honno, ond fel y ceisiodd hi ei ddarbwyllo mai ffliw oedd arni – Robin eisiau galw doctor ond Mam wedi gwrthod – dal i gredu y bydd hi'n well ar ôl gorffwys

- Robin wedi mynd allan i rywle yn hwyrach y noson honno [i losgi capel Gilgal ond nid yw Mam yn gwybod hynny eto] gan ddod yn ôl mewn dillad gwlyb ac wedi mynnu mynd i weld Mared eto – Mam heb ei gwestiynu oherwydd fod ganddi bethau pwysicach ar ei meddwl sef cyflwr Mared – poeni mwy erbyn hyn.

13. Cwis

1. Ym mha flwyddyn yr enillodd Geraint V. Jones Wobr Goffa Daniel Owen yn yr Eisteddfod Genedlaethol am *Yn y Gwaed*?

2. Enwch ddau gymeriad sydd wedi clywed y sïon am y llosgach yn nheulu Arllechwedd ac am fodolaeth *Fo*.

3. Enwch dri arwydd o ddirywiad cymdeithasol yn y Cwm, pentref Rhyd-y-gro a'r ardal gyfagos.

4. Enwch dri arwydd o'r Seisnigo yn y Cwm neu yn Hirfryn.

5. Mae Robin yn cyfeirio at un mewfudwr fel y "Sais siarad-trwy'i ddannedd, clyfar efo pres a geiriau". Am ba un o'r canlynol y mae'n sôn?
    1) Mr Reason, perchennog Y Bladur Aur
    2) Y gyrrwr lori sy'n dod wyneb yn wyneb gyda Robin ar y ffordd
    3) George Davison, perchennog capel Gilgal/The Haven

6. Yn yr olygfa yn Y Bladur Aur ar y diwedd, pa newyddion gan Harri sy'n syfrdanu ac yn siomi Robin?

7. Pa dri lliw sy'n cael eu defnyddio mewn modd symbolig yn y nofel?

8. Cyfeirir at y lliw coch yn aml yn y nofel wrth gyfeirio at nodwedd arbennig ar un o'r cymeriadau canolog – pa gymeriad a pha nodwedd?

9. Mae'r awdur yn pwysleisio gwynder rhai pethau, yn enwedig mewn cyferbyniad â choch. Enwch un pâr o bethau gwyn a choch sy'n cael eu cyferbynnu – mewn hunllef neu yn y naratif.

10. Rhowch enghraifft o Mam a Robin yn cyd-dynnu (yn weddol) am unwaith.

11. Ers faint y mae Mared yn feichiog pan mae'n penderfynu dweud wrth ei mam ei bod yn disgwyl?
    1) dau fis
    2) tri mis
    3) pedwar mis

12. Faint oedd oed Dewyrth Ifan yn marw?
    1) 45
    2) 55
    3) 65

13. Rhowch wneuthuriad a lliw car Jeff.

14. Yn un o'i hunllefau mae Robin yn breuddwydio am gael ei ddyfarnu'n euog o lofruddio a hynny yng nghapel Gilgal. I ba ran o'r capel y mae'n gorfod mynd i sefyll ei brawf, h.y. beth yw'r "doc" yn yr "achos llys" yma?

15. Pa freuddwyd gan Mared sy'n troi'n hunllef a sut?

16. Enwch dri pheth materol sy'n dwysáu'r syniad fod Arllechwedd yn ynysig ac ar wahân i weddill cymdeithas.

17. Rhowch y digwyddiadau canlynol mewn trefn amseryddol:
    • marwolaeth Dewyrth Ifan
    • perthynas Mared a Jeff
    • geni babi Mared a Robin a'i lofruddio
    • geni Fo
    • perthynas Mared a Harri Llwyn-crwn

18. Ar sail yr awgrymiadau a geir yn y nofel, beth yw'r rheswm mwyaf tebygol fod Mared yn cadw dyddiadur?

    1) Er mwyn i rywun yn y dyfodol gael ei ddarllen

    2) Er mwyn ceisio gwneud synnwyr o hanes ofnadwy Arllechwedd

    3) Er mwyn cael ymarfer ei llawysgrifen

19. Rhowch dair enghraifft o bethau o gwmpas y tŷ a'r fferm sy'n dangos bod Dewyrth Ifan wedi byw a gweithio yno.

20. Pa ansoddair o'r rhestr sy'n disgrifio Robin orau?

    deallus, styfnig, meddylgar

21. Pam mae Mared yn paratoi gwledd Nadolig?

    1) Er mwyn i'r teulu gael bod fel pawb arall am unwaith

    2) Er mwyn gwahodd cymdogion draw

    3) Er mwyn plesio Mam a Robin

22. Am ba beth y mae Mam yn obsesiynol?

    glanweithdra, dilyn ffasiwn, celu gwybodaeth

23. Beth yw'r unig ddigwyddiad yn y nofel sy'n gwneud i Mam golli deigryn, ym marn Mared o leiaf?

24. Yn ystod dau o ymweliadau Mared gyda'r llofft stabl, mae'n ymddangos bod rhywbeth wedi dychryn *Fo*. Enwch y ddau beth.

25. Cyn iddo'i ladd ei hun ar ddiwedd y nofel, wrth feddwl am y dyfodol, beth yw dau ofn mawr Robin?

14. Atebion

1. 1990

2. Isaac Thomas Ty'n-bryn, pen blaenor capel Gilgal gynt
    Parri Bach y doctor

3. Ysgol wedi cau
    Capel Gilgal wedi cau
    Ffair galan gaeaf Hirfryn wedi dirywio

4. Ffermydd Dôl-haidd a Chae'rperson wedi'u gwerthu i Saeson
    Capel Gilgal wedi troi'n dŷ o'r enw The Haven
    Tafarn y Bladur Aur yn cael ei redeg gan Sais
    Plismon y pentref yn ddi-Gymraeg
    Sefydlu'r Lower Ford United Gravel Company
    Seisnigrwydd staff yr ysbyty yn Hirfryn

5. 3)

6. Y newydd fod Harri'n ystyried gwerthu Llwyn-crwn i George Davison.

7. Coch, du a gwyn

8. Robin; colli ei dymer (cyfeirir at y gwaed yn codi yn ei ben)

9. Y garreg wen a gwaed coch (yn hunllef Robin); eira a gwaed goch (pan aiff Robin yn sâl); eira a streipen goch y car heddlu (wrth ddilyn yr hers ar ei thaith o Arllechwedd); tafod wen *Fo* a'i wefusau coch

10. Wrth hel y defaid o'r mynydd

    Wrth gytuno i werthu'r gwartheg godro

11. 2)

12. 2)

13. Daihatsu brown

14. Y pulpud

15. Breuddwyd am garu gyda Harri Llwyn-crwn/Jeff yn troi'n hunllef wrth i Mam

    ddod i'r llofft yn cydio mewn gweillen boeth

16. Ei chyflenwad trydan ei hun

    Ei chyflenwad dŵr ei hun

    Dim ffôn

17. geni Fo (tua 50 mlynedd yn ôl);

    marwolaeth Dewyrth Ifan (30 mlynedd yn ôl);

    geni babi Mared a Robin a'i lofruddio (15 mlynedd yn ôl);

    perthynas Mared a Harri;

    perthynas Mared a Jeff

18. 2)

19. Y generadur (generator) sy'n cynhyrchu trydan y fferm (a gafodd ei ddyfeisio

    gan Dewyrth Ifan)

    Llestri (a oedd yn eiddo iddo)

    Ei gôt (sy'n cael ei gwisgo gan Mam weithiau)

20. styfnig

21.   1)

22.   celu gwybodaeth

23.   Marwolaeth Mic, y ci defaid.

24.   Yr eira ar ddillad Mared
       Ysbryd Dewyrth Ifan

25.   Wynebu'r dyfodol heb Mared
       Gorfod mynd i garchar a bod yn gaeth fel *Fo* yn y llofft stabl.